죽음의 도시

죽음의 도시

발　행 | 2024년 02월 05일
저　자 | 남킹
펴낸이 | 한건희
펴낸곳 | 주식회사 부크크
출판사등록 | 2014.07.15.(제2014-16호)
주　소 | 서울특별시 금천구 가산디지털1로 119 SK트윈타워 A동 305호
전　화 | 1670-8316
이메일 | info@bookk.co.kr

ISBN | 979-11-410-7025-0

죽음의 도시

남킹 SF 이야기

목차

마르 데페스에게 이 책을 바칩니다.

죽음의 도시

긴 터널을 빠져나오자 회색의 도시가 펼쳐졌다. 다른 도시와 비슷했다. 흉물스럽다. 대부분 망가지고 파괴되었다. 먼지바람이 불었다. 아케론은 눈살을 찌푸리며 왼손으로 운전대를 잡았다. 그리고 오른손으로 잠바의 지퍼를 내렸다. 날이 더워지기 시작했다. 그렁거리는 드론 소리와 폭발음이 멀리서 들리고 검은 연기가 도시 곳곳에서 피어났다. 늘 마주치는 익숙한 모습이지만 여전히 불편했다.

그때 자동차 모니터가 붉게 빛나며 경고음을 냈다.

'10km 이내 전투용 드론 포착. 주의 요망.'

"젠장!"

아케론은 욕지거리를 내뱉으며 내비게이션 화면으로 시선을 돌렸다. 목적지까지 44km를 더 가야만 했다. 그는 길게 한숨을 쉬었다. 하지만 그를 옥죄는 긴장은 더욱 무거워졌다.

"아담! 드론을 피할 수 있는 도로로 우회하면 어떤 가?"

"그러면 36km가 추가됩니다. 약속한 시각에 도착하기 가 불가능합니다."

"시팔! 어쩔 수 없구먼!"

아케론은 핸들을 있는 힘껏 꽉 잡았다. 그의 검은 눈 동자가 두려움에 흔들렸다. 하지만 그는 이를 악물고 악 셀을 최대로 꾹 눌렀다. 자동차는 굉음을 내며 거친 도 로를 내닫기 시작했다. 먼지가 그의 불쌍한 목에 가득 달라붙었다. 동시에 그의 몸이 심하게 흔들렸다.

"아담! 터보 엔진 가동!"

그는 가래를 내뱉으며 크게 외쳤다.

"그건 위험합니다. 도로 상태가 매우 나쁩니다."

"어쩔 수 없잖아! 지금 속도로는 저들을 따돌릴 수 없어! 꼼짝없이 잡히고 말 거야!"

"잡히기 전에 차가 먼저 뒤집힐 겁니다. 그래도 하시겠습니까?"

"아담! 알잖아! 오히려 그게 나아! 저 기계들에게 당하기는 죽어도 싫단 말이야!"

"그럼 헬멧을 착용하시기 바랍니다. 당분간 제가 운전하겠습니다."

자동차는 자동 운전 모드로 바뀌었다. 그리고 아케론의 좌석 밑에서 검은 헬멧이 올라왔다. 동시에 차의 모든 창문이 즉시 닫혔다. 아케론은 전방을 주시하며 안전모를 쓰고 오른쪽 잠금 버튼을 눌렀다. 철컥하는 소리와 동시에 '펑' 하며 터보 엔진이 작동했다. 그러자 그의 몸이 좌석 등받이에 납작하게 달라붙기 시작했다. 차가 미친 듯이 튀기 시작했다. 타이어와 자동차 몸통에서 나는 기괴한 소리가 그를 휘감았다. 그의 심장이 혈관을 파열시킬 듯 뛰었다. 그는 자동차 핸들을 겨우 다시 잡으며 말했다.

"아담! 수동 모드!"

"괜찮을까요?"

"걱정하지 마! 이런 일 하루 이틀 겪은 것도 아닌데 뭘! 내게 맡겨!"

자동차 핸들이 다시 자유로워졌다. 아케론은 전방과 모니터를 번갈아 쳐다보며 차를 몰았다. 모니터 왼쪽 화면에 붉게 반짝이는 압력 표시가 1G에서 3G까지 올라갔다. 자동차는 이제 지면에 닿는 시간보다 공중에 붕 떠 있는 시간이 더 길었다. 아케론은 점점 더 강하게 눌리는 느낌을 받았다. 그리고 몸의 피가 모두 빨려 나가는 듯 어지러웠다. 게다가 그의 눈꺼풀은 쇳덩이처럼 무겁게 내려앉았다. 그는 L-1 호흡을 시작했다. 여기서 혼절하면 모든 게 끝장이었다. 그의 가족. 아내. 아들. 그리고 희망. 이 모든 것이 사라지는 것이다. 그는 거칠게 호흡하며 적들과 대항할 준비를 하였다.

* * * * * * * * * * * * *

'매우 위험. 공격용 드론 전방 접근. 절대 주위.'

마침내 요란한 경고음이 울렸다. 3대의 드론이 멈칫하더니 이내 가속을 내며 차에 따라붙기 시작했다. 금속으로 뒤덮인 그들의 몸체가 반짝였다. 날개 양쪽에 새겨진 검푸른 로고도 선명했다. <블루딥>

"아담! 공격 준비!"

아케론은 드론을 눈으로 따라가며 대시보드 옆 녹색의 무장 해제 버튼을 눌렀다. 그러자 2개의 추가 안전띠가 그를 감쌌다. 그리고 자동차 보닛 중앙에 있는 3개의 원형 뚜껑이 열리고 총구가 서서히 올라왔다.

"준비되었습니다."

아케론은 운전대 양옆에 붙은 발사 버튼 보호막을 손가락으로 튕겼다. 그리고 숨을 고르게 쉬면서 드론이 접근하는 순간을 기다렸다.

이윽고 회색의 하늘빛을 가리며 날던 드론은 그들의 좁고 긴 양 날개를 마치 악마의 손짓처럼 엑스자로 펼쳤다. 바람을 가르는 날카로운 소리가 순간 울렸다. 그리고 각 날개의 끝에서 붉은 적외선이 내려와 자동차 전체에 어지럽게 머물렀다. 아케론은 그것이 무엇을 뜻하는지 알고 있다. <공격형 모드 전환>.

'하지만 기다려야 한다.'

지금 저들의 타겟에서 피한 들 소용이 없다. 적외선

유도 열추적 미사일은 타겟이 빛의 속도로 도망치지 않는 한 결국 따라잡을 것이다.

"아담! 플레어 준비!"

"네. 준비되었습니다."

운전대 양옆 버튼이 황색으로 바뀌었다. 그리고 모니터에 드론의 모습이 확대되어 나타났다. 드론의 몸통에 붙은 2개의 카메라 렌즈가 쉴 새 없이 움직였다. 아케론은, 마치 연쇄 살인범의 눈동자처럼, 기계에서 냉혹한 안색을 느껴졌다. 공포가 밀려왔다. 그를 응시하며 죽음의 춤을 추는 듯 보였다.

모니터가 번쩍였다. 한순간의 실수도 용납할 수 없는 순간이 온 것이다. 드론을 떠난 소형 미사일 2기가 공중에서 잠시 머무는 듯하더니 이내 방향을 아래로 잡고 가속을 내기 시작했다. 아케론은 버튼에 엄지손가락을 올린 채 속으로 카운트를 셌다.

'하나, 둘, 셋' 그리고 버튼을 힘껏 눌렀다. 그러자 자동차의 꽁무니에서 고온의 화합 물질이 흰색 연기를 내뿜으며 격렬하게 뿜어져 나왔다. 동시에 아케론은 자동차의 핸들을 약간씩 이리저리 꺾었다. 그 모습이 마치 용트림하는 이무기 같았다. 곧이어 자동차 뒤편에서 강렬한 진동이 후끈거리는 열기와 함께 찾아왔다. 차가 속절없이 밀려 나갔다. 아케론은 핸들을 격하게 반대로 돌리며 가드레일에 처박힐뻔한 차를 돌렸다.

'1기 미사일 회피 성공. 2기 미사일 회피 성공'

하지만 모니터에 뜬 녹색의 성공 메시지는 곧바로 붉은 경고로 바뀌었다.

'드론 미사일 3, 4기 발사'

아케론은 다시 힘껏 악셀을 밟았다. 그리고 플레어 발사 버튼을 눌렀다. 이번에도 드론의 미사일은 그를 비껴

갔다. 곧이어 드론이 공격을 멈추었다. 아케론은 이때 확신이 들었다.

"아담! 드론의 미사일이 모두 소진되었어. 반격 준비해!"

"네."

자동차 핸들의 버튼이 붉은색으로 변했다. 그는 모니터에 나타난 드론을 보며 힘껏 버튼을 눌렀다. 차의 보닛에 설치한 세 개의 총구가 굉음을 내며 불을 뿜었다. 그러자 드론의 몸통에서 불꽃이 튀었다. 나란히 비행하던 세 대의 드론이 황급히 흩어졌다. 그러나 첫 번째 드론을 줄곧 따라가던 총알은 드론의 날개와 프로펠러를 작살내 버렸다. 동력을 잃은 드론은 긴 포물선을 그리며 빌딩에 처박혀 화염에 휩싸였다.

'드론 1기 파괴'

아케론의 시선은 이제 두 번째 드론으로 향했다. 하지만 어느새 나머지 드론은 총구를 아케론의 자동차로 향한 채 달려들고 있었다.

"아담! 방어 준비!"

아케론의 명령이 떨어지기 무섭게 차의 모든 유리창에 철망이 덮였다. 곧이어 철망 위로 강한 불꽃이 튀기 시작했다. 유리창이 삽시간에 부서져 내렸다. 그리고 보닛의 철판 위에 수십 개의 구멍이 생겼다. 아케론도 이에 질세라 공격을 퍼부었다. 두 번째 드론이 그가 퍼부은 총알 세례를 견디다 못하고 산산조각이 나며 공중에서 흩어졌다.

'드론 2기 파괴'

하지만 기쁨도 잠시, 자동차에서 검은 연기가 치솟기 시작했다. 뜨거운 열기가 송풍구를 타고 차의 내부로 전해졌다. 아케론의 몸이 후끈 달아올랐다.

"아담! 송풍구 차단! 너무 뜨거워!"

"네."

차의 송풍구는 닫혔지만, 그는 이미 차내로 유입된 유
독 가스를 마신 상태였다. 가뜩이나 3G의 중력 가속도
로 어지러운 상태인데 기름을 부은 격이었다. 목이 불에
타는 듯 따끔거리더니 이내 혼몽한 상태가 그를 덮쳤다.
그리고 그 순간, 차는 가드레일을 들이박고 미끄러지더
니 다시 뭔가에 부딪힌 듯, 공중으로 붕 뜨며 한참을 날
아가 언덕으로 데굴데굴 구르기 시작했다. 파편과 돌, 나
무 조각들이 공중에 뿌려졌고, 으깨어지는 소리와 격렬
한 진동이 아케론을 휘감았다. 그의 시야는 점점 어둠으
로 변했다.

＊＊＊＊＊＊＊＊＊＊＊＊＊

아케론이 눈을 떴을 때 사방은 어두워지고 있었다. 그

는 뒤집힌 차에서 3개의 안전띠를 끈기 있게 하나씩 하나씩 풀고는 엉금엉금 기어 나왔다. 그의 머리에 몰려있던 피들이 한꺼번에 몸통으로 쭉 내려갔다. 그는 어지러움과 메스꺼움을 느꼈다. 그는 비틀거리며 무너진 담벼락에 몸을 기댔다. 그리고 사방을 천천히 둘러봤다. 차는 거의 절반이 날아간 상태였다. 모든 게 깨지고 구겨진 채 널브러져 있다. 그가 성한 몸으로 빠져나온 게 기적처럼 느껴졌다. 그는 안타까운 마음에 차를 불렀다.

"아담! 아담! 아담!"

" ...."

묵묵부답이었다. 바람 소리만 공간에 가득했다. 비록 기계지만 그와 삼 년을 동고동락한 사이였다. 아마겟돈 이후 아케론과 함께한 유일한 친구였다. 그는 울적한 마음으로 차가 굴러온 언덕 쪽을 바라봤다. 완만한 경사지만 족히 10m쯤 되는 높이에 차가 휩쓸고 간 흔적이 뚜렷이 남아 있었다. 그곳에 꺾이고 부러지고 뭉근한 불에 휩싸인 나무들이 눈에 띄었다. 그가 서 있는 곳은 숲과 주택가의 경계쯤으로 보였다.

숲속의 요새 같은 고급 주택지. 하지만 이곳도 예외 없이 폐허였다. 몇몇 집은 지붕이 무너지고 벽돌과 나무 구조물이 깨진 유리와 먼지에 싸여 있었다. 그리고 도로 가운데는 녹슨 차들이 흉물스럽게 쌓여 있었다. 침묵이 감쌌다. 살아 있는 인간의 흔적은 없었다. 하지만 어둠이 짙어졌다. 아케론은 불안을 느끼기 시작했다.

'빨리 피신처를 찾아야 한다.'

어둠이 내리면 빛을 싫어하는 <샤크라>들이 활동을 시작하기 때문이다. 핵폭탄으로 얼룩진 세상에서 살아남은 변종 돌연변이. 그들은 밤이 되면 기지개를 켜고 밖으로 나와 허기진 배를 채우기 위해 살아 있는 모든 생명체를 죽이고 살점을 뜯었다. 그리고 놀라운 번식력을 지녔다. 아케론이 거쳐온 도시 어디에서든 샤크라가 존재했다. 어찌 보면 블루딥의 드론보다 그들이 더 두려웠다.

아케론은 시야가 트인 곳으로 올라갔다. 그리고 현재의 위치를 가늠했다. 저 멀리 언덕 아래 도시가 완전히 어둠에 잠겼다. 간간이 도시 상공을 비행하는 드론의 불빛과 화염만 흐릿하게 다가왔다. 아케론은 자신의 무기를 확인하기 시작했다. 무릎 보호대에 숨겨둔 <듀얼 나타 나이프>, 양 옆구리에 찬 <오블리비언 전자 소총>, 소매에 장착한 <샤프 나이프>, 보호 조끼에 매단 <전기 충격기>와 <아방모나 수류탄> 그리고 양말에 넣어둔 <콩알 폭탄>까지 모두 조사했다.

그는 주머니에서 적외선 고글을 꺼내 썼다. 그리고 모든 감각을 동원하여 몸을 숨길 곳을 찾기 시작했다. 발소리를 최대한 죽이고 신속하게 움직이며 광범위하게 주위를 살폈다. 한순간의 방심도 곧 죽음이었다. 꼭 살아서 가족을 보호해야만 했다. 폐허가 된 마을이 점점 현실적으로 다가왔다.

다양한 크기와 형태로 파괴된 건물, 잔해물, 그리고 무너진 도로와 다리가 나타났다. 그는 가까이에 있는 폐가로 들어갔다. 알 수 없는 역한 냄새들이 났다. 가죽과 뼈만 앙상하게 남은 짐승들의 사체가 집안 곳곳에 흩어져 있었다.

* * * * * * * * * * * * *

태양이 서서히 도시의 먼 지평선 위로 떠오르기 시작했다. 흐린 빛이 어둠에 가려져 있던 모든 것을 서서히 드러냈다. 무너진 건물 사이, 깜깜한 골목길이 아케론의 눈에 띄었다. 밤새도록 이어진 공포와 긴장의 순간이 줄어들었다. 아케론은 안도의 한숨을 쉬었다.

'오늘 하루가 다시 내게 주어졌다.'

그의 숨소리는 어느 정도 진정되었지만, 그의 심장은 여전히 두근거렸다. 그는 시린 공기를 천천히 들이마셨다. 곳곳에 쌓인 쓰레기와 잔해가 황량한 도시를 표현했다. 그는 조심스레 발을 떼기 시작했다. 깨진 가로등에 털이 빠진 까마귀 한 마리가 앉아 그를 주시했다. 도시에 살아 있는 모든 생명체는 굶주린 상태다. 그러므로 모든 눈빛은 절박하다. 살기 위해 목숨을 걸어야 한다.

그의 눈은 주변을 재빠르게 둘러보며 어떤 움직임도 감지하려 애쓴다. 동시에 그의 손 가까운 주머니에 있는 칼을 만지작거렸다. 그는 이틀 동안 아무것도 먹지 못했다. 한 모금의 물과 단백질을 찾기 위해 그의 두뇌와 다리는 밀접하게 상호작용을 하였다. 내 앞에 펼쳐진 폐허 속 작은 움직임조차 빨아들이듯 지켜본다. 극한의 생존 환경은 긴장을 극도로 올려놓는다.

모든 삶은 한순간의 방심으로 끝나버린다.

늘 그렇듯 버려지고 파괴된 길모퉁이가 나타난다. 성한 게 남아 있다면, 우리는 감히 3년 전에 있었던 일을 아포칼립스라고 부르진 않았을 것이다. 누구는 마지막 전쟁이라고 했고, 단지 선순환의 끝이므로 시작의 다른 이

름이라고도 하였다. 아무튼 무엇이 되었든지 간에 우리
는 거의 멸족하였고 남은 이도 빠르게 사라지고 있다.

　도시의 인간은, 삶에 필요한 최소한의 얕은 숨을 쉬며,
심장을 뛰게 할 만큼의 영양분만 섭취하였다. 그 외의
시간은 그저 웅크린 채, 두려움과 긴장으로 하루를 보냈
다.

　계절의 변화는 썩어가는 땅속에서 비죽이 고개를 내미
는 어린싹이나 서둘러 핀 야생화에서만 감지를 할 수
있었다. 그나마도 대부분은 씨를 맺기 전에 시들어 다시
오염된 땅으로 사라졌다.

　비는 자주 오거나 한동안 오지 않거나를 반복하였는데,
우기와 건기를 구분하는 명확한 패턴은 그다지 분명해
보이지는 않았다. 그저 분명한 것은 연한 갈색에서 짙은
흑색의 비가 내렸다.

계절이 있긴 하였다. 무척 뜨거웠던 날이 사라짐을 피부로 느끼고 있었다. 하지만 여전히 한낮은 숨을 쉬기도 힘들 만큼 달아올랐다. 어쩔 수 없었다. 조상이 남겨준 유산은 후손에게는 선택의 여지가 없었다.

지금이 몇 년 며칠인지 아는 이는 지극히 드물었다. 알 필요가 없으니, 그저 낮과 밤이 교차하는 반복된 하루의 나열만 존재할 뿐이다. 나는 내가 얼마나 오랫동안 이 세상에 생존해 있는지를 알지 못한다. 그저 숨을 쉬고 있으니 살아 있다는 것뿐이다.

그리고 나는, 다른 모든 생존자처럼, 모든 것을 빨거나 흡입하고 다녔다. 비참한 현실은, 비록 순간적이지만, 환각으로 통하는 통로를 아무 거리낌 없이 넓혀 놓았다. 환각물질. 그것이 무엇이든지 간에 우리 시대의 화폐가 되었다. 모든 가치의 기준은 이제 약물에 있었다.

하지만 나는 이 도시로 오기 전, 모든 독약을 끊었다. 그동안 마약에 절은 내 몸은 나의 의지를 꺾기 위하여

극심한 고통을 선사했다. 나는 극복했다. 삶의 목적이 생긴 것이다.

나는 늘 아이 생각으로 가득하다. 고사리 같은 10개의 손가락과 발가락, 두 개의 귀, 눈, 코, 입. 어느 것 하나 비뚤어지지 않고 제대로 된 채였다. 하지만 아이를 볼 때마다 절망이 다가온다. 나는 지나치게 큰 욕심을 채우고 말았다. 하지 말았어야 했다.

종말의 시대에 자식이라니! 대체 무슨 생각으로 저지른 걸까?

아이는 언제나 바람을 피하여 몸을 웅크리고 있었다. 오염물질로 포화가 된 공기는 태양을 앗아갔다. 무너져 내린 담벼락, 앙상하게 그은 나무들이 뒤엉켜있는 구석진 공간에서 아이는 늘 세상을 불안으로 바라보았다.

나는 무엇이든 닥치는 대로 사냥을 하거나 식료품을 찾기 위해 어디든지 뒤져야만 했다. 내게 아이는 욕구이

자 사랑, 삶을 이어주는 희망이자 무겁기 짝이 없는 짐이기도 하였다. 하자가 없는 지극히 정상적인 아이 말이다.

그때부터 즐거웠던 일 기쁨이 충만했던 순간을 늘 기억하고 되새기는 버릇이 생겼다. 극도로 제한된 즐길 거리에서는 추억이 한몫을 담당한다. 나는 내 아이가 온전한 모습으로 태어난 순간을 늘 떠올린다.

그것만이 나를 걷게 했다.

센 강풍이 몰아치기 시작한다. 여의고 마른 생물들을 날릴 정도의 격한 바람들이다. 바람이 휩쓸고 간 자리는 이곳이 폐허의 도시라는 사실을 각인시켜 줄 정도로 선명하다.

귓전을 때리던 세찬 바람은 으르렁거리며 몰려다닌다. 양 사방에서 할퀴듯 대든다. 바람은 지친 낙엽과 해진 비닐을 그냥 두지 않는다. 기어이 들어 올려 먼지 속으로 던지듯 날리며 성난 소리를 내며 달려든다. 나는 비쩍 마른 손으로 눈을 가리고는 천천히 나아간다. 바람을 버티거나 혹은 잘 피하지 못하면 멸종의 세상을 살기가 힘들다.

이파리들은 뜨거운 열기에 말라갔다. 그리고 갈라진 아스팔트 사이로 올라온 풀들을 짓이기는 듯한, 심한 마찰을 느낄 수 있는 광풍이 불곤 하였다. 뻥뻥 구멍이 뚫린 앙상한 잡초들이 마지막 숨을 껄떡거렸다.

인간도 마찬가지였다. 여자는 죽은 자식을 먹어야 했고 빈약하게 나오는 젖을 남자에게 팔아야 했다.

나는 배낭에서 자그마한 빵 봉지를 꺼내 한 조각을 베어 문다. 이빨이 아플 정도로 딱딱한 방이지만 나는 꾹꾹 씹으며 단물이 나올 때까지 삼키지 않고 입속에서 굴렸다. 절대로 몇 번 씹고 꿀떡 삼키면 안 된다.

이 한 조각으로 반나절을 견뎌야 한다. 우연히 내게

단백질 덩어리가 떨어질 확률은 사실상 제로에 가깝다. 적게 먹고 오랫동안 입속에서 음미하여야 한다.

이것이 얼마나 내게 큰 위안과 힘을 주는지…. 그것을 처절하게 느껴야만 한다.

배고픔이 주는 일상의 고통은 다른 정신적 고통을 사치로 바꾸어놓았다. 세상의 우울은 자신의 우울을 상쇄한다.

음식이 사라진 세상은 지극히 효율적이다. 이제 음식에서 찌꺼기라는 단어는 사라졌다. 찌꺼기가 있을 리가 없다. 아낌없이 모든 살 조각이 깨끗이 발라져 사라진다.

박테리아도 그걸 느낀다. 수명이 다한 생물은 지독하게 빠르게 썩어간다. 썩기 전에 모든 것을 내 배 속에 채워 넣어야 한다. 그렇지 않으면 몇 주 동안의 굶주림을 버틸 기력이 없어진다.

마지막 남은 기력. 먹을 것을 채집할 수 있는, 단 한 톨의 힘을 위해 몸을 돌보아야 한다. 이제 굶주림은 익숙하다 못해 편리하기도 하다.

부족함에 익숙해져야 한다. 하지만 부족하다고 해서 만족이 사라진 것은 아니다. 오히려 감격을 동반한 격한 만족을 느낄 때도 있다. 극단적으로 부족하지만 그래도 인간은 적응한다. 덜 원하고 덜 요구한다. 만족의 기대치를 내리는 것이다.

폐허가 주는 교훈이다.

거미줄처럼 가늘고 길게 얽힌 도로의 끝에 광장이 펼쳐졌다. 지친 발걸음이 맞닿은 그곳은, 한때 높고 빛나는 빌딩이 병풍처럼 타원형으로 둘러쳐져 마치 세상의 중심이 옮겨진 듯한 느낌을 받는 곳이었다.

나는 배낭에서 마른고기 한 조각을 떼어내 컵에 넣는다. 심하게 건조되어 공기처럼 가볍고 고유의 형태라곤 찾아볼 길이 없지만, 나는 탁한 물을 조심스레 컵에 부었다. 부정형의 단백질 조직이 검붉은 빛을 띠며 뒤엉킨 사슬을 풀어내듯 천천히 부풀기 시작했다. 그리고 역겨운 피 냄새가 솔솔 올라왔다.

나는 꾹 참고 손가락으로, 풀어진 고기 조각 한 점을 집어 입에 넣는다. 그리고 혀를 이용해 몇 개 남지 않은 이빨 사이로 고기를 몰아넣은 뒤, 조심스레 씹는다. 향긋한 행복이 올라온다.

나는 다시 걷기 시작한다.

나는 무성한 풀 사이에 흐릿한 팻말을 마침내 발견했다.

'자비로운 자의 회당'

거의 반나절을, 이 폐허의 도시를 헤맨 끝에, 나는 비로소 쉴 곳을 찾았다는 안도감을 느낀다. 무거워진 발을 질질 끌고 검은 옻칠이 비교적 최근에 된 듯한 대문 앞에 도달한 나는 한숨을 쉬며 천천히 건물을 올려다봤다.

비록 처참하게 부서졌지만, 무척 높고 아름다웠다.

수천 년 동안 이곳은 신의 영역이었다.

수많은 교회, 수도원, 성, 궁전, 회관, 대학, 그리고 주택에 이르기까지, 죄지은 인간을 용서한 신의 영광을 표현하는 양식으로 건물들이 만들어졌다. 지금은 그런 하늘을 상상조차 할 수 없겠지만, 티 없이 맑은 날, 누군가 이 고딕 건축의 유물인, 하늘로 솟구친 첨탑과 스테인드글라스, 외벽을 장식한, 아름다운 대칭과 정교한 조각들을 본다면, 절로 감탄이 나와 성호를 그었을 거다.

'신의 축복이 그대와 함께…'

거친 곳이지만 잠을 자 두어야 한다. 몸뚱이가 잠을 요구한다. 나는 모포를 깐다. 그리고 조심스레 몸은 눕다. 정적은 어둠처럼 긴장을 동반한다.

지친 몸으로 누운 자리는 다양한 종류의 불편함을 풍기지만 어쩔 수 없다. 항상 고단하다는 것은 아주 잠시나마 편안함의 행복을 극대화한다.

삶의 고단함은 오히려 그 삶을 놓지 않으려는 욕망을 극단적으로 높인다. 모든 고통은 이제 <피할 수 없음>으로 다가온다. 그러므로 즐겨야 한다. 그렇지 않으면 도저히 견딜 수가 없다. 결국 견디고 버티는 것만이 남았다.

나는 잠을 사랑한다. 아니 어쩌면 현재를 살아가는 모든 피조물은 잠을 갈구하는지도 모르겠다. 잠 속에서 비로소 자유가 된다. 꿈속은 무수한 상황의 단절과 영속을 체험하지만, 그런데도 오직 하나, 절대 죽지 않는다는 장

점은 근사하다.

그리고 나는 돔을 마음속에 그려본다. 그리고 소원한다. 꿈에서라도 볼 수 있기를….

죽음의 도시가 끝나는 지점. 마치 아마겟돈을 알기라도한 듯, 반짝이는 13개의 반월형 돔. 이스트 델타곤 지역. 오염물질 방지를 위한 거대한 방벽이 겹겹으로 쌓인 곳. 버려진 땅의 죽어가는 이들은 늘 이곳을 갈망한다. 모든 오염과 치명적인 방사선을 차단하는 곳.

소위 젖과 꿀이 흐른다는 극소수의 부자들이 거주하는 하베스트 프로텍터 돔. 아이의 생명을 지켜줄 유일한 대피처.

그들이 어떻게 세상을 파괴하고 어떤 의도로 종말을 계획하였는지는 관심이 없다. 나는 그저 내 아이가 그의 자연석인 수명이 다할 때까지 숨 쉬고 살아갈 수 있는 곳만 있으면 그만이다.

그러므로 나의 여정은 오로지 그곳이다.

****

나는 갑자기 눈을 떴다. 섬뜩함이 몸을 감싼다.

폐허의 도시에서 살아남으려면 감각이 예민해야 한다. 나는 몸으로 진동을 먼저 느꼈다. 뒤이어 소리를 들었다. 땅의 흔들림은 미세하지만 정확한 정보를 제공한다. 그리고 신속하다.

유기체는 죽어가고 기계는 섬뜩하리만큼 활발하다. 공포가 내려왔고 혼란과 반목이 뿌리를 내리고 약탈과 은둔, 반성과 냉혈이 공존한다.

셉터지역에서 울리는 둔중한 쇳소리. 세르지역을 순찰하는 용병대가 분명했다. 움직이는 모든 차량은 두꺼운 철갑을 두르고 앞뒤로 무장을 했다. 그들은 우선 강한 굉음으로 환기를 준다. 쥐들처럼 숨어들은 외부인들은 황급히 자리를 뜬다. 하지만 아직 식량을 구하지 못한 이들이 있다.

그들은 삶을 담보로 숨바꼭질을 하기 시작한다. 나의 유년 시절은 숨기와 달리기로 점철되어 있다. 그리고 수많은 질곡과 난관이 부딪쳐 만든 개인사는 무엇으로도 표현할 수 없는 슬픔을 동반하기 마련이다.

성장기 대부분을 폭력의 그늘에 지낸 나에게 남은 과거는, 내 몸뚱이에 새겨진 어그러진 그림이다. 거친 붓그림의 용.

내 몸을 휘감고 내 삶을 관통하고 걸음걸음의 고통에 아로새겨진 족쇄. 염료와 황산바륨에 산을 녹여 만든 용액. 붓끝이 닿는 곳이 타들어 가며 새겨진 고통으로, 그 시절, 나는 타인을 오로지 증오와 폭력의 대상으로 치환하고 말있다.

헝클어짐 혹은 파괴에 대한 집착. 끝없는 갈증에 길듦 혹은 종속. 욕망은 즉흥적이고 짧은 속죄는 늘 타인으로 눈을 돌려 투영시켰다. 적어도 내가 난독증 치료를 받기 전까지, 종말의 시대를 살아가는 나의 행위는 반성이 없었다.

나는 해밀건 박사의 오픈에어칩을 뇌 속에 박았다. 대부분 환자가 치료 후, 칩 제거 수술을 받았음에도 불구하고 나는 평생 간직하고 있다. 간직했다는 말이 정확한 표현이다.

나는 내 생각이 글로 표현되는 장치를 이용하여 끊임없이 기록하고 또 기록한다. 글에 대한 애착이, 비로소 나를 과거로부터 단절시켰다.

하지만 신은 사람들의 오만과 함께 결국 영원히 사라졌다. 거친 폐허에 내몰린 인간은 애초의 야수로 돌아갔다. 그리고 세상에 널려있는 잿더미는, 재밌게도 모든 것을 평등하게 만들었다.

가치의 차이, 숭고함의 깊이, 고상함의 넓이가 떠나간
자리는, 처절한 생존 의식이 바람 속 비린내로 번져온다.
생존만이 유일한 목적이다. 한 톨의 쌀알이 우리의 신앙
이 되었다.

　그리고 나는 여전히 죽음의 도시에서 삶을 기록한다.

남극 돔

내행성 안전 총괄 책임자이자 비상 대책위원회 위원장을 맡은 샘튼 시바트가, 지구로 급하게 파견하여야 하는 이유는 극비사항이었다. 그는 남극에 도착하고서야 상황의 심각성을 깨달았다. 그의 앞에 펼쳐진 3D 화면은, 얼핏 보면 위성에서 촬영한 넓은 평야를 옅은 회색으로 덧칠한 뒤, 깨알 같은 점을 찍어 놓은 듯하였다. 하지만 줌 스틱으로 점점 확대하자, 그 점들은 모두 반원형 모양의 돔으로 바뀌었다.

"모두 999개의 크고 작은 미확인 건축물을 확인하였습니다. 최초 발견에서 6일 동안 광범위 초정밀 스캔으로 얻은 결과입니다." 긴급회의를 주관하는 한닐 박사는, 각 점에 표시된 숫자의 마지막을 가리키며, 불안한 눈빛으로 참석자를 둘러봤다. 그리고 말을 이어갔다.

"모양은 모두 똑같습니다만 크기는 다양합니다. 작게는 대략 지름이 100m에서 크게는 2km까지 됩니다. 색상은 모두 검은색이고, 출입구로 판단되는 표시는 아직 발견되지 않았습니다."

"그러니까 이 모든 조형물이 남극 빙하 속에 숨겨져 있었단 말인가요?" 샘튼이 조급하게 질문을 던졌다.

"네, 그렇습니다. 평균 빙하 두께 1.8km 속입니다. 그리고…."

"이게 가능한 일인가요?"

"…" 샘튼의 질문에 박사는 잠시 침묵을 지켰다. 그리고 심각한 표정으로 말을 이어갔다.

"현재…. 인간의 기술로는…. 아무래도…. 힘들 것입니다. 빙하를 뚫고 돔을 만드는 일은…. 도저히…."

"그렇다면?"

"지금까지 어떤 것도 단정 지을 만한 단서가 발견되지 않았습니다. 지속적인 연구가 필요합니다. 그것도 아주 오랫동안…."

"전혀 단서가 없는 거요?" 샘튼은 마른침을 한번 꿀꺽 삼켰다.

"원반이 있습니다."

"원반?"

"네, 모든 돔의 정중앙에는 지름 3m 정도의 원반이 새겨져 있습니다. 마치 파이스토스 원반 (Phaistos Disc) 을 보는 듯한 느낌입니다."

"파이스토스 원반? 알 수 없는 이상한 기호들이 그려져 있는 미스터리 한 그 원반 말인가요?"

"네, 다음 화면을 보시기 바랍니다." 박사는 연구원들이 그동안 촬영한 각 돔의 원반 사진을 번갈아 가며 보여수기 시작했다.

검은 바탕에 붉은 글씨의 기호들이 중앙을 중심으로 일정한 간격으로 표시가 되어 있었다.

"현재 30개의 돔 원반 사진 촬영이 수행되었습니다. 앞으로 한 달 정도면 모든 돔의 원반 정보를 확보할 수 있을 것으로 판단이 됩니다."

"무슨 뜻일까요? 이 원반들…."

"아직은…. 전혀…. 전 세계 유명 기호학자들에게 이미 문의는 한 상태입니다. 하지만 누구도…."

"돔의 내부는 파악이 되었나요?"

"전혀 뚫리지 않습니다."

"어떤 장비로도?"

"네, 어떤 것도…. 심지어 폭파도 되지 않습니다. 게다가 돔을 감싸고 있는 빙하를 방사성-크립톤-연대 결정

법으로 분석해 본 결과 80만 년으로 추정이 됩니다. 아무래도 이 세상 것은 아닌 것 같습니다….”

“음….” 샘튼은 신음과 가까운 한숨을 내며 머리를 천천히 젖히기 시작했다.

“그래서 지금으로서는 이것의 정체를 알 방법이 전혀 없다는 것인가요?”

“제 생각으로는…. 원반의 기호를 해석하는 방법밖에 없을 듯합니다.”

****

그로부터 2개월 뒤, 전 세계 암호 관련 사이트에는 총 999개의 돔 원반 사진이 실렸다. 그리고 이것을 해석하는 사람에게는 범 태양계 행정처에서 천만 달러의 상금을 지급하는 것으로 알려졌다.

그리고 석 달 뒤, 암호 관련 모든 잡지에 돔 사진이 실렸다. 상금은 오천만 달러로 늘어났다.

그러던 어느 날, 서번트 증후군을 앓고 있는 10살 소년 사이먼은 잡지를 보며 혼잣말로 중얼거렸다.

"우주 쓰레기 저장소 546호. 매우 위험. 관계자 외 출입 금지"

메이드 인 아메리카

제임스는 기분이 좋았다.

나이 서른아홉에 비로소 여자 친구를 만들었다. 비록 로봇이지만 그가 늘 꿈꾸던 이상형이다. 3차 세계대전 이전, 1968년 영화 <로미오와 줄리엣>에 출연한, 당시의 올리비아 핫세를 쏙 빼닮았다. 그는 요즈음 젊은이들이 선호하는 금발의 섹시 글래머 스타일을 좋아하지 않는다. 오히려 남자의 보호 본능을 자극하는 청순가련형 스타일에 푹 빠져있다. 긴 생머리와 우수에 찬 짙은 황갈색 눈을 사랑했다. 그는 그녀를 얻기 위해 10년 동안 돈을 모았다.

그는 가난했다.

그의 집안은 대대로 선생을 하였다. 그래서 늘 적은 급여를 받았다. 그는 싱글 침대와 화장실이 한 공간에 있는 13층 원룸 아파트에 살았다. 그는 돈을 아끼기 위해, 하루에 한 번, 샌드위치로 끼니를 때웠다. 그의 휴대폰은, 50년 전에 단종이 된, 낡은 애플 아이폰 34 프로였다. 이미 모든 모서리는 깨지고 액정화면은 금이 갔으며 6개의 부착 카메라는 제 기능을 상실한 지 오래였다. 그의 할아버지가 남긴 유일한 유산이었다.

그는 집에 오면 늘 휴대전화기를 켜고, 지금은 역사 속으로 사라진, 유튜브의 2D 영상을 메타데이터에서 가져와 시청하곤 하였다. 그는 2,000년대 초반 음악을 즐겨 들었다. 지금은 아무도 관심을 가지지 않는, 팝과 하드락에 그는 묘한 매력을 느꼈다. 그는, 이제 전설이 된, <BTS> 노래 대부분을 따라 불렀고 <린킨 파크> 음악을 흥얼거렸다. 한마디로 그는 메타 시대를 살아가는 아날로그형 디지털 인간이었다.

그는 늘 외로웠다.

마지막 대 전쟁 발발 시기에 태어난 그는, 어린 시절 대부분을 외딴곳에 숨어 지냈다. 전쟁은 참혹했다. 도시 대부분은 파괴되었고 방사능에 오염되었다. 게다가 변종 바이러스 전염병이 창궐하여, 사람들은 모두 뿔뿔이 흩어져 고립 생활을 하였다. 그는 성인이 될 때까지 가족 외에 다른 사람을 구경할 수 없었다.

  그가 다시 도시로 돌아왔을 때, 세상은 가진 자의 것이 되었다. 그리고 빈부의 격차는 나날이 커졌다. 소수의 부자는 대부분의 첨단 기술을 장악했다. 그들은 그것을 이용하여 막강한 부를 쌓았다. 그리고 곧 권력과 결탁하였다. 권력은 바로 욕망이었다.

  그들은, 영장류의 진화에서 1,600만 년 동안 이어져온 사회적 일부일처제를 법적으로 없애버렸다. 저명한 인류학자인 레반도프스키 박사의 저서 <영장류의 자유연애론>이 빌미가 되었다. 그는 책에서 이렇게 주장하였다. '인간을 비롯한 모든 동물의 수컷에게 가장 좋은 전략은 많은 암컷을 상대하는 것'이라고. 정치인과 통제된 언론은 자유연애의 당위성을 대중에게 설파했다.

  결국, 일부다처 혹은 일처다부가 행정적으로 보호받는 시대가 열렸다. 그러자 결혼 쏠림 현상이 극단적으로 나타나기 시작했다. 돈 많고 잘 생기고 사회적 지위가 높은 남자들이 여자 대부분을 차지해버린 것이다. 당시 도시의 남녀 성 비율은 여성이 남성보다 약간 더 많은 수준이었으나, 결혼 적령기 미혼율은 남성이 압도적으로 많았다. 즉, 대부분의 가난한 남자들은 짝을 구할 수 없게 된 것이다. 그리고 그들은 사회 인력 구성원의 대다수를 차지했다.

한마디로, 성적 불만이 팽배한 사회로 변모한 것이다. 그러자 다양한 방법으로 부작용이 나타나기 시작했다. 매춘과 유사 성행위 업소가 폭발적으로 늘었다. 폭력도 늘고 마약, 알코올 소비도 증가했다. 동성애도 늘고 여자를 납치하는 사례도 번번이 일어났다. 자살률도 끝없이 올라갔다.

제임스가 사는 도시 외곽의 아파트 촌은, 주민 대부분이, 홀로 사는 남자였다. 그야말로 남자 마을이 된 것이다. 그리고 나날이 황폐해졌다.

하지만 인간은 늘 그렇듯이 방법을 찾아내곤 하였다. 필요는 발명의 어머니라고 하지 않았던가! 가난하고 외로운 늑대들을 위한 구원자가 나타난 것이다.

그의 이름은 일론 멜론.

그는 화성 테라포밍 프로젝트에서 AI 로봇 제작 기술자였다. 하지만 지나치게 외골수인 데다 음주 문제로 동료들에게 따돌림당하다 결국 회사에서 쫓겨나고 말았다. 그러던 어느 날, 그는 변함없이 그날도 집에서 반주 삼아 위스키 석 잔을 비우고 3D 포르노 사이트를 기웃거리던 중, 광고 배너에 이끌려 자위기구 판매 사이트를 방문하였다. 그것이 그의 인생을 완전히 바꾸게 만든 순간이었다. 그는 그곳에서 남성 자위를 도와주는 인형을 본 것이다. 순간, 번뜩이는 아이디어가 그의 정수리를 때렸다.

그해, 인간과 거의 비슷한 인형을 제작하는 일본의 <다나카 돌스> (Danaka Dolls) 함께 공동으로 <에로

돌스>(EroDolls)>를 창업한 그는, 이듬해 첫 AI 섹스 로봇 <마라린 먼로 버전 1>을 출시하였다. 하지만 시장의 반응은 그다지 좋지 않았다. 피부 조직과 미모, 동작은 무척 자연스러웠으나, 여전히 인간보다는 인형에 가까웠으며 지나치게 높은 가격이 문제였다.

하지만 사회적 불안에 대한 해결책을 찾던 소수의 권력자에게는 충분한 매력으로 다가왔다. 그들은 섹스 로봇을 국책산업으로 지정하고, <에로 돌스>를 우선 지원 업체로 선정하였다. 정부는 무엇보다 가장 먼저, 높은 가격을 대폭 낮추기 위하여 공장을 개발도상국으로 이전하는, 양국 간 경제 협력 컨소시엄 양해각서를 발 빠르게 추진하였다. 그리고 거의 완벽에 가까운 표정과 몸매를 만들기 위하여, 당시 최고의 기술을 자랑하던 대한민국 강남 일대 성형외과 의사들을 대거 스카우트하였다.

그렇게 하여 탄생한 <마라린 먼로 프리미엄 프로 버전 7.3>은 섹스 로봇의 전설이 되었다. 한 언론의 기사 제목이 모든 것을 설명했다.

<먼로의 재림>

****

제임스는 들뜬 마음을 누른 채, 플라잉 택시를 타고 <에로 돌스> 고객센터로 향했다. 평소에는 대중교통을 이용했지만, 그는 오늘만큼은 약간의 사치를 부리고 싶었다.

일주일간의 제품 사용 교육과 적응 단계를 모두 마친 그는, 드디어 그의 여자를 오늘 만나게 되는 것이다.

제품명 : <핫세 프리미엄 에로 버전 13.44F>

원산지 : Made in America

이미 7년 전에 출시되어 2번의 주인을 거친 중고제품

이었다. 하지만 정비센터에서 무상 초기화 및 업그레이드가 잘 진행되었고, 무료 <안마 서비스> 모듈 및 최신 유행 신음까지 보너스로 탑재한 상태였다. 그의 재정적 능력으로는 더할 나위 없이 안성맞춤인 셈이었다.

다만 한 가지 아쉬운 점은 <Made in America>라는 것이다. 가장 인기 있는, 최고 품질의 섹스 로봇은 한국산이었다. 하지만 대부분 제임스가 감당할 수 없는 고가 제품이었다. 심지어 중고제품도 여전히 높은 가격으로 팔렸다. 그나마 차선책으로 선택할 수 있는 것은 중국산이었다. 한국산 대비 가격은, 삼 분의 일 정도였지만 품질면에서는 일반인들이 구분하지 못할 정도였다. 다만 중국 내 노총각 수가 급증함에 따라, 내수 시장의 수요도 감당할 수 없었다. 결국 중국 정부는 원천적으로 자국의 로봇 수출을 엄격하게 제한하고 말았다.

아메리카 제품은 한 때 최상의 품질로 인기를 누렸으나, 보인의 취약성이 드러나면서 급락하고 말았다. 즉, 수많은 제품이 불법 개조 및 복제가 되어 전 세계로 팔렸으며, 여러 가지 사건 사고가 발생하였다. 예를 들자면, 섹스 도중 주인의 성기를 입으로 절단하는 사고도 있었다.

하지만 제임스는 전혀 개의치 않았다. 거의 40년 세월을 고독한 싱글로 보낸 그로서는, 여인의 품속이라면 죽어도 좋다고 생각했다.

그는 후들거리는 다리를 겨우 옮기며, 안내에 따라 지정된 69번 만남 방으로 들어갔다. 이곳에서 2시간의 첫 만남을 보내고 나서, 최종 구매 계약서에 사인하고 나면, 그녀는 완전히 그의 것이 되는 것이다.

방은 작지만, 침대는 넓었다. 약간 어두운 붉은 조명 속에 로맨틱한 재즈 음악이 흘렀다. 그는 약간 엉거주춤한 상태로 선 채 여자를 기다렸다. 그의 심장이 터질 듯이 요동쳤다. 일 초 일 초가 영원히 멈추듯이 천천히 흘렀다. 동시에 그의 속이 바짝바짝 타들어 갔다.

그는 탁자에 놓인 음료수를 병째로 벌컥벌컥 마셨다.

그가 병을 비우는 사이 그녀가 들어왔다. 진한 재스민 향이 좁은 공간을 금세 가득 채웠다. 그녀는 반투명의 실크 란제리 차림이었다. 그녀는 망설임 없이 그에게 사뿐 사뿐히 다가와 익숙한 듯이 그에게 안겼다. 그리고 그가 말할 틈도 없이 그녀는 그의 입술에 자기 입술을 포개었다. 그녀는 탁월한 섹스 기계였다.

남자의 옷을 한풀 한풀 벗긴 뒤, 자연스러운 자세로 그를 침대에 눕혔다. 그리고는 자신이 왜 좋은 제품인지를 마치 홍보라도 하듯이 아주 부드러운 손끝으로 그의 전신을 안마하기 시작했다. 그의 눈이 스르르 자동으로 감겼다.

제임스의 입에서는 삶의 희열이 터져 나왔다. 그의 모든 세포 하나하나가 기쁨을 노래했다. 지나간 모든 고통과 외로움이 한꺼번에 보상받는 느낌이었다. 그는 비로소 세상의 한가운데, 주인공으로 우뚝 선, 자존감을 한껏 내뿜는 수컷 사자로 돌아왔다.

그는 이제, 그녀를 쓰러뜨리고 자기 성기를 그녀의 몸

속으로 깊숙이 집어넣고 싶다는 강렬한 욕구를 느꼈다. 그런데 그 순간, 묵직한 압박감이 팔에서 느껴졌다. 그는 눈을 번쩍 떴다. 그리고 여자의 손에 쥐어진 주사기를 보았다. 그녀는 익숙한 듯 자신의 왼쪽 유방을 열어 투명 유리병 속에 담긴 액체를 주사기에 담고 있었다.

순간, 제임스의 입에서 욕지거리가 튀어나왔다.

"젠장!!!, made in America!!!"

그의 여자는 마약 로봇으로 개조된 복사품이었다.

블라디미르와 그레고리

블라디미르가 도착한 뉴욕은 한겨울이었다. 그는 긴 여행의 피로가 축적되어 무척 핼쑥했다. 하지만 그는 눈앞에 펼쳐진 고층 빌딩 숲과 무수한 차량과 인파 속에 들뜬 가슴을 주체할 수가 없었다. 마침내 늘 그리던 자유의 도시에 그는 첫발을 내딛게 된 것이다.

그는 러시아 시골 출신의 뜨내기였다. 9 남매의 딱 중간이었으며 고등학교를 2년쯤 다니다 자퇴하고는, 동네 건달이 된 둘째 형을 따라 여러 지역을 돌아다니곤 하였다.

그들은 주로 중소도시 외곽의 가난하고 소외된 자들을 겁박하여 그다지 좋지도 않은 물건들을 팔고 다녔다. 그러던 어느 날, 블라디미르는 어느 젊은이를 사소한 시비 끝에 흠씬 두들겨 팼는데, 하필이면 그 녀석의 아버지가 전직 KGB 출신이었다.

결국, 그는 도망자 신세가 되었다. 하지만 이내 잡히고 말았다. 그는 2m나 되는 큰 키에 몸무게 140kg의 거구였다. 어느 누가 그를 처음 봐도 잊을 수 없는 모습이었다.

어느 한적하고 썰렁한 건물로 끌려간 그의 앞에는 2가지 선택 사항이 놓였다. 감옥 혹은 군 복무.

그는 사거리에 서서 신호등이 바뀌길 기다리고 있었다. 그때 갑자기 빌딩 숲 사이로 스치며 매서운 속도가 붙은 돌풍이 거리를 휩쓸며 불쌍한 행인을 덮치기 시작했다. 살을 여미는 칼 추위였다.

그때, 그의 앞에 무척 고급스러운 캐딜락 한 대가 멈추었다. 길을 가는 행인들의 시선이 일시적으로 차에 멈추었다. 그 또한, 눈이 시리도록 따가운 태양의 햇살을 반사하는 그곳을 직시했다. 이윽고 조수석 문이 열리고 검은 정장 차림의 젊은이가 황급히 내리더니 뒷좌석 차문을 공손히 열어젖혔다.

그리고 그곳에서 나온 이는 놀랍게도 구부정하게 허리

가 굽은 채 초라한 모습의 흑인이 내렸다. 그 순간 블라디미르 입에서 '쿡' 하고 웃음이 터져 나왔다.

"웃기게 생긴 흑인 녀석이구먼…" 그는 러시아어로 말하였다. 그리고는 그는 황당한 표정을 지으며 혀를 끌끌 차면서 옆을 지나갔다.

"어이!" 블라디미르가 한 열 발자국쯤 갔을까? 마치 자신을 호명하는 듯한 느낌이 들어 그는 돌아보았다. 흑인이 그를 빤히 쳐다보고 있었다. 뭔가 섬찟한 느낌이 들었다. 그래서 그는 애써 아닌 척하며 다시 뒤돌아서 걸음을 재촉했다.

"야! 러시아 촌뜨기!" 목덜미에서 다시금 목소리가 들려왔다. 러시아 말이었다. 순간 블라디미르는 촌뜨기라는 말에 불쑥 솟아나는 화를 내며 다시 돌아섰다.

"날 부른 거야? 이 검은 놈아!" 그의 말이 떨어지기 무섭게 캐딜락 주변에 있던 젊은이 3명이 그에게 거친 표정으로 성큼성큼 다가오기 시작했다. 그들은 주머니에서 검은 장갑을 끼더니 주먹을 휘두르기 시작했다. 뉴욕의 변두리라고는 하지만 여전히 지나가는 사람들이 있었다. 삽시간에 그들이 싸움 현장에 몰려들었다. 하지만 싸움은 눈 깜짝할 사이에 끝나버렸다.

세 명의 청년이 앓는 소리를 내면서 길에서 뒹굴고 있었다. 블라디미르는 특전사 출신이었다. 그리고 유아 전쟁(유럽과 아시아의 패권전쟁)에서 3년 동안, 특수 공작원으로 근무하였다.

그는 상대방의 중요 부위와 눈을 차례대로 치고 찔러버렸다. 그러자 청년 한 명이 총을 꺼내 들기 시작했다.

"그만!" 흑인이 큰소리로 외쳤다.

"자네 이름이 뭔가?"

"블라디미르다. 너는 이름이 뭐냐?"

"아놀드라고 한다. 영어 할 줄 아나?"

"조금 할 줄 안다. 왜?"

"자, 이건 내 명함이다. 돈이 필요하면 언제든지 연락해라."

"지금 돈이 필요하다. 무슨 일자리냐?"

"수금원."

"수금원?"

"그래, 돈 받아내는 거."

"봉급은?"

"네가 얼마나 받아내는 나에 따라서…"

"좋다."

"그럼 지금부터 나를 보스라고 불러라."

"그래, 보스. 고맙다."

다음 날 블라디미르가 찾아간 곳은 작고 음침한 레스토랑이었다.

그곳에는 전날 그에게 당한 3명의 젊은이 외에 6명이 더 있었다. 간단한 통성명이 이어지고 그들은 각자 할당된 지역으로 뿔뿔이 흩어졌다.

블라디미르는 토마스라는 키 작고 말이 무척 빠른 녀석과 파트너가 되어 그의 차에 올라탔다. 그리고 한 30분 정도를 달려 그들이 맡은 구역으로 갔다. 그곳은 전형적인 할렘가였다.

건물 대부분이 낡고 초라했으며 거리에는 어슬렁거리는 부랑자들이 자주 눈에 띄었다. 그렇게 그는 조직폭력배 생활을 시작하였다.

그는 그곳에서 거의 2년 동안 수금원 생활을 하였다. 어느새 그는 영어에 능숙해졌고 뉴욕 생활에 적응하였다. 하지만 그동안 보스를 볼 수는 없었다. 아놀드는 감옥에 투옥되었다.

한편, 블라디미르의 파트너인 토마스는 영리하였다. 두목이 없는 틈을 타, 그는 블라디미르의 힘을 발판으로, 서서히 다른 사업에 발을 들여놓기 시작했다. 지극히 위험하지만, 큰돈을 벌 수 있는 것. 바로 마약이었다.

그들은 우선 플로리다 휴양지의 한 자그마한 나이트클럽을 인수했다. 그리고 라스베이거스의 스트립 걸들을 끌어들였다. 쇼는 화려하고 선정적이었다. 소문이 삽시간에 퍼졌다. 단시간에 플로리다의 명소로 자리를 잡았다. 그러자 그 일대의 갱들이 몰려들었다.

블라디미르는 그곳에서 그레고리를 알게 되었다. 그레고리는 코스타리카 출신 자동차 딜러였다. 하지만 자동차만 파는 것이 아니었다. 그는 돈이 될만한 모든 것을 닥치는 대로 팔아치웠다. 한마디로 판매의 신이었다.

그는 콜롬비아의 마약 카르텔과도 깊은 관계를 맺고 있었다. 그레고리는 갱들이 요구하는 것이 무엇이든지 간에 상관없이 팔았다. 그중에는 고가의 초고속 모터보트가 있다. 그는 중고보트를 헐값에 사들여, 고성능의 엔진을 부착하고 마약을 은닉하기 위한 비밀공간을 만든 뒤 비싼 값에 그들에게 되팔았다.

그는 단숨에 플로리다의 백만장자가 되었다. 그리고 그와 카르텔과의 관계는 이제 단순한 판매자와 고객을 넘어 동업자로 변해갔다.

이 시점에, 블리디미르와 그레고리의 만남은, 그들의 운명을 송두리째 바꾸어버리는 역사적인 사건으로 전개가 되기 시작했다.

 우선, 그레고리는 잠수함이 필요했다. 갱들은 좀 더 은밀하게 마약을 미국으로 나르기 위한 운송장비가 필요했다. 잠수함이 안성맞춤이었다. 그는 러시아의 낡은 잠수함을 생각했다. 그레고리가 그의 생각을 블라디미르에게 털어놓자마자 블라디미르는, 그를 특전사로 보낸 전직 KGB 요원을 생각했다.

 그들은 우선, 착수금으로 천만 달러의 현금을 갱들에게서 받았다. 그리고 KGB 인맥을 이용하여 부패한 러시아 관료를 구워삶기 시작했다.

 그로부터 1년 뒤, 그들은 폐기 직전의 러시아 잠수함들을 싼값에 넘겨받았다. 그리고 미국 망명을 원하는 러시아인 선장, 선원, 기술자들을 모집했다.

 어느 화창한 봄날, 1대의 핵잠수함과 2대의 구형 잠수함, 그리고 각종 군수물자와 러시아 선원들의 가족을 태운 여객선은 블라디보스토크항을 출발하였다. 그들은 콜롬비아에서 1년 정도 인수인계 작업을 한 다음 미국 플로리다로 비밀리에 입국하여 각자의 삶을 살기로 예정이 되어 있었다.

그들이 출발한 날짜는 2066년 6월 1일이었다. 그리고 그들이 태평양 한가운데를 유영하고 있는 사이 아마겟돈이 시작되었다. 블라디미르는 실시간으로 긴급 속보를 받고 있었다. 그리고 이미 그들의 도착지는 더 이상 살 수 없는 아비규환으로 변모한 영상을 생생히 지켜보고 있었다. 뭔가 결단을 내려야 할 시점이 왔다고 그는 느꼈다.

그는 각 책임자를 불러 모아 결론을 낼 때까지 기나긴 회의를 하기 시작했다. 그리고 마침내 태평양의 한 섬에 정박하여 사태의 추이를 지켜보는 것으로 결론을 내렸다. 그들은 폴리네시아로 향했다.

그들은 비교적 폴리네시아에 가까운 위치에 있었으므

로, 다른 배들에 비해 상대적으로 일찍 도착할 수 있었다. 그들이 도착하고 연이어 피난민을 태운 배들이 속속들이 들어오고 있었다.

블라디미르 일행은 우선 폴리네시아 대통령을 만났다. 사실 어마어마한 군사 장비를 갖춘 상태이므로 진작에 그들의 입항 소식은 대통령의 귀에 들어간 상태였다.

그레고리는 장사의 귀재답게 회유와 협박, 당근을 적절히 제시하기 시작했다. 그리고 사실상 그들이 회의를 진행하는 동안에 무차별적으로 배들이 들어오기 시작하면서 통제 불능 상태가 되어버렸다. 사실상 무정부 상태나 마찬가지였다.

이때를 틈타 블라디미르는 가장 경비가 삼엄한 대통령궁을 접수했다. 실질적인 쿠데타였다. 그리고 발 빠르게 정계를 휘어잡기 시작했다. 우선 난민 중에 건장한 젊은 이를 뽑아 자체 군을 만들었다. 그들에게는 무엇보다 많은 혜택을 줌으로써 이 소식은 삽시간에 섬에 퍼졌다.

많은 지지 세력이 몰려들었다. 결국 블라디미르는 배들의 무덤이라고 일컬어지는 이곳의 실질적인 지도자가 되었다.

이후, 블라디미르의 힘, 토마스의 영리함 그리고 그레고리의 협상 능력은 아마겟돈 이후, 혼탁한 세상의 패권을 다투는 가장 두려운 존재로 발전하기 시작하였다.

아케론과 라후라

펜타닐

　그들이 태어나 기억하는 하늘은 회색이었다. 짙은 회색 혹은 옅은 회색. 그것뿐이었다. 파랑과 붉음. 혹은 눈을 뜰 수 없을 정도로 투명한 하늘이 존재하였다는 사실을 그들은 절대로 믿지 않았다. 심지어 상상조차 하지 못했다. (<릴리안 나리>의 <호모 사피엔스 기록> <대멸종 편> 13장 66절)

　<아케론 포프>는 회색 젤라바 차림으로 차에 올랐다. 그리고 낡은 마스크를 착용했다. 눈과 입만 도드라진 모습이 흐린 창에 어른거렸다. 익숙하지만 언제나 낯설었다. 진한 한숨을 가래와 함께 뱉었다. 먼지 냄새가 섞였다. 그는 시동을 걸고 페달을 밟았다. 육중한 차체가 부르르 떨었다. 동시에 경유 탄 냄새가 퍼졌다. 그의 하관도 흔들거리기 시작했다. 기계는 천천히 힘겹게 움직였다. 벗겨진 아스팔트 도로가 눈앞에 서서히 들어왔다.

휘어지고 갈라진, 황폐한 길이, 온통 찌그러진 세상 사이로 곤죽이 되어 널브러져 있다. 낡은 차는 발작적인 딸꾹질을 하듯 한 번씩 쿵쿵거렸다.

그와 십 년을 같이 했다. 케케묵은 창고에 벌겋게 녹이 슨 3.5t 트럭을 발견했을 때, 그는 살 수 있겠다는 희망을 품었다. 한 달을 꼬박 매달려 결국 그 쇳덩이에 생명줄을 넣었다. 아울러 아내도 생명을 잉태했다. 아들은 드물게 성한 모습으로 태어났다. 기쁨이자 고통이었다. 삶의 목적이 하나로 고정되어 버렸다. 살아야 할 당위성이 생긴 것이다. 아들이 제대로 된 세상에서 살게 하는 것. 그것뿐이었다. 아주 큰 욕망이 작은 욕구를 모두 삼켜버렸다.

라르렌 숲에서 날아온 듯한 참나무 잎이, 바짝 마른 채, 백미러에 걸려 바람에 건들거렸다. 숲이 사라진 이후, 몇 년이 지났다. 하지만 여전히 대지는 뭉근한 불에 싸여있다. 태양은 가렸지만, 땅은 더 뜨거워졌다. 화염에 탄 재들이 사방으로 뭉쳐 다녔다. 불과 연기, 마른 먼지로 뒤덮인 공간은, 극소수의 살아남은 자에게는 저주였다. 살아 있는 것이라고는 무엇 하나 온전하지 않았다. 그저 죽음을 기다리는 고통이었다.

그는 가속 페달을 꾹 눌렀다. 차는 비포장이나 다름 없는 거친 도로를 힘겹게 달리기 시작했다. 앞은 자리는 지나치게 건들거렸다. 눈 앞에 펼쳐진 세상이 심하게 흔들렸다. 회색 먼지. 검은 구름. 메마른 땅. 사방에 널브러진 잔해. 그리고 외로움이 포개어졌다. 아내를 일 년 가까이 보지 못했다. 언제나 그녀 생각뿐이었다. 내 인생의 바닥짐과 같은 존재.

구름이 낮은 어느 적막한 마을. 세상의 오염이 생명을 마구잡이로 앗아가던 시절. 그는 피폭으로 한쪽 눈을 잃은 채, 거친 광야를 헤매다 바닷가에 이르렀다. 여인은 낯선 이에게 선뜻 생선 죽을 내놓았다. 그는 그녀에게 감사의 표시로, 낡아 빠진 배를 정성껏 수리하였다. 그리고 사랑을 나누었다. 그는 죽음의 바다에서 삶을 건졌다. 하지만 아들이 초롱초롱한 눈망울로 아빠를 부르는 순간, 그는 떠나지 않고는 못 배길 때가 오고 말았다는 것을 알았다. 마지막 남은 청정구역. 젖과 꿀이 흐른다는 땅. 극소수의 선택된 자만이 산다는 곳. <노아의 돔>으로 아들을 보내야만 했다. 마약이 필요했다. 돈은 그냥 종잇조각이었다. 보석도 그냥 돌덩이가 된 지 오래였다. 세상의 통화는 마약이 대신했다. 그중에 중국산 펜타닐은 압도적으로 귀한 존재였다. 한순간이라도 고통을 잊게 해주는 것. 그것이 삶이 되었다.

모든 살아 있는 것은 병이 들었다. 아이는 인두염을 달고 살았다. 그렁그렁, 가래가 가득한 목소리. 지나치게 창백한 얼굴. 충혈된 눈. 바이러스는 인간보다 훨씬 강했다. 황열이, 몇 안 되는 살아남은 어린 자식의 숨통을 끊기 시작했다. 아들은 용케 극복했다. 하지만 기쁨도 잠시, 백신이 사라진 세상의 어린이는, 변종 바이러스의 좋은 먹잇감이었다. 바이러스성 뇌막염이 창궐하였다. 티푸스가 한 마을 주민을 몰살하기도 하였다.

가속이 붙을수록 차는 심하게 요동쳤다. 그는 운전

대를 꼭 잡은 채, 먼지로 뒤덮인 세상을 바라봤다. 앞으로 1,200km. 도로를 식별할 수 있는 한, 쉴 새 없이 달려야 한다. 위험하기 짝이 없는 이곳은 그야말로 무법지대이다. 머무른다는 것은 곧 죽음을 의미했다. 하지만 두려움보다 외로움이 앞섰다. 차라리 딴죽을 걸거나, 엄포를 놓던 동료라도 이 순간은 그립다. 전쟁이 남긴 것은 긴 침묵이었다. 어디를 가나 버려진 것뿐이었다. 짐칸에는 잡동사니가 들어있다. 그리고 어딘가에는 무척 귀한 물건이 담겨있다. 어디에 숨겨져 있는지는 그도 알 수 없었다. 설령 그가 납치되어 고문받고 죽더라도, 물건은 되찾으려는 카르텔의 조치였다.

****

한참을 달렸다. 그동안 바람 소리와 낡은 타이어가 내는 신음만 들려왔다. 그는, 그의 머리에 남은 낡은 추억들을 들추려고 애를 썼다. 기억은 사람들이 고독이라고 말하는 고통을 이겨내는 야릇한 피난처와 같았다. 그의 행복은 초등학교를 갓 입학한 어느 날 밤까지만 이어졌다. 그날 밤, 아버지는 모든 문을 잠그고, 창문을 두꺼운 판자로 가렸다. 내전이 발생했다. 땅이 흔들렸고 뜨거운 열기가 전해졌다. 그는 심한 탈수로 눈을 뜰 수조차 없었다. 그저 누워만 있었다. 전쟁은 3년간 이어졌고 도시는 폐허가 되었다. 하지만 이것은 약과였다. 그냥 전조에 불과했다. 세상의 종말은 그가 청년이 될 때를 기다리고 있었다.

지독한 졸음이 몰려오기 시작했다. 한동안 거의 비몽사몽간을 헤매며 달리고 있었다. 하지만 길에서 벗어나지만 않으면 그만이었다. 6시간을 달렸지만, 아직 차 한 대 보지 못했다. 다행이었다. 주위에 무엇인가 움직인다는 것은 곧 긴장을 나타냈다. 마침내 도시로 접어들었다. 해가 저물기 시작했다. 여전히 움직이는 것은 보이지 않았다. 지나치게 높은 빌딩들이 옆을 스쳤다. 한때 세상의 중심이었던 곳. 기고만장한 인간들의 요란한 놀이터. 하지만 이제 지푸라기보다 약한 존재가 되었다. 낡고 앙상한 빌딩 사이로 붉은 회색빛이 암울한 도시를 덮기 시작했다. 그는 속도를 늦추고 차를 외진 곳에 세웠다.

그리고 서둘러 칙칙하고 어두운 곳에 잠자리를 마련했다. 시야를 확보하고 그를 숨길 수 있는 곳. 풀들이 무성하게 자라 안성맞춤이었다. 그는 아스팔트나 콘크리트 사이를 비집고 솟은 녹색 생명을 생뚱스럽게 쳐다봤다. 인간이 만든 재앙을 극복하는 그들을. 그리고 곧 어둠이 찾아왔다. 아무것도 보이지 않았다.

****

하늘이 밝아 올 때 그는 서둘러 출발했다. 짙은 구름은 여전하고 바람도 거세었다. 그는 최대한 그의 흔적을 지우기 위해 먹다 남은 부스러기 하나까지 모두 땅에 묻었다. 그리고 돌과 건초를 주워다 주위에 듬성듬성 뿌렸다. 모든 게 자연스러워야 했다. 인위적인 흔적은 곧 죽음을 의미하였다. 나를 지워야 내가 산다. 침울하게 뻗은 도로. 먼지가 더디게 몰려왔다. 그는 눈을 가늘게 뜨고 뼈다귀만 남은 건물 사이로 지평선을 바라봤다. 벙커 같은 언덕은 회색빛 햇살로 덮였다. 모든 것이 정지된 낡은 그림 같았다.

어느 정도 갔을까? 갑자기 기계음에 정신이 번쩍 들었다. 잠시지만 꿈으로 착각했다. 하지만 곧이어 두 번 더 엔진 소리 같은 게 울렸다. 날은 밝았다. 후방 모니터를 주시했다. 몇 대의 드론이 보였다. 입에서 욕지거리가 터졌다. 긴장이 가슴을 옥죄기 시작하였다. 그는 액셀러레이터를 있는 힘껏 꾹 밟았다. 거친 도로를 쿵쾅거리며 차가 심하게 흔들렸다. 하지만 기계는 어느새 낡은 트럭 주위를 감싸고 있었다. 그것들은 천천히 내려앉으며 트럭 구석구석에 달라붙었다. 그는 핸들을 심하게 몇 번 이리저리 흔들어댔다. 몇몇 드론이 튕겨 나갔다. 하지만 대부분은 찰싹 달라붙은 채, 차에 구멍을 뚫기 시작했다. 크고 작은 구멍이 군데군데 생겼다. 곧이어 센서가 달린 촉수를, 꿈틀거리며 그 속으로 집어넣기 시작했다.

짐칸에서 심한 소리가 들렸다. 드론이 거칠게 잡동사니를 뒤적거리는 듯 보였다. 이윽고 검은 드론이 차창 밖에 바싹 달라붙었다. 뭔가 냄새를 맡은 것처럼 천천히 위로 올라가기 시작했다. 다른 드론은 기괴한 소리를 내며 문을 거칠게 열어젖히고 있었다. 등 뒤에서 불현듯 뜨거운 열기가 느껴졌다. 용접기에서 불꽃을 튀기며 뒷면에 큰 구멍을 내고 있었다. 일부 드론은 윈치를 이용하여 두터운 문을 뜯어내기 시작했다. 그야말로 트럭을 산산조각 낼 참이었다. 그사이 내가 할 수 있는 일은, 차의 속도를 올리며 이리저리 흔들어대는 것뿐이었다. 절망과 좌절, 공포가 쓰나미처럼 몰려왔다. 천장에 쐐기처럼 박혀있던 나사들이 후두두 떨어져 나갔다. 탁한 바람이 거칠게 몰려들었다. 폴리프로필렌을 녹여서 만든 저장 용기가 삐죽이 삐져나온 게 보였다. 그러더니 펜타닐이 눈보라처럼 내리기 시작했다. 그는 급히 배낭을 뒤져 방독면을 착용했다. 그리고 노출된 모든 피부를 닥치는 대로 감싸기 시작했다.

"젠장 천장에다가 숨겼구먼…."

6세대 펜타닐의 독성은 그야말로 지독하다. 모든 유기물을 태워버린다. 드론이 삽시간에 천장에 몰려들기 시작했다. 그것들은 밋밋한 차 지붕을 다 뜯어내고는 마약을 실어 나르기 시작했다. 그는 서둘러 서랍에서 총을 꺼내었다. 마지막 수단이었다. 하지만 그 순간 그는 이상함을 느끼기 시작했다. 오한이 들더니 이내 고통이 사라졌다. 환희와 행복감이 눈앞에 펼쳐졌다.

아들이 보였다. 푸른 초원과 눈부신 하늘. 파도 소리 요란한 바다. 아들이 결코 보지 못한 투명한 푸르름이 끝도 없이 나타났다. 그는 먼지처럼 가벼워졌다. 페가수스처럼 풀풀 날기 시작했다. 그들 앞에 고추를 넣은 파파야 샐러드와 파넹 소스를 얹은 쇠고기 요리가 갑자기 펼쳐졌다. 책에서만 보았던 그 맛 나는 음식들…. 그는 연미복을 입고, 붉은 드레스의 아내를 사랑스러운 눈길로 바라봤다. 정갈하고 환한 천국이었다. 언제나 해맑은 아내의 미소에 키스했다. 모든 것은 정오의 햇살처럼 밝고 반듯했다. 싱그러움이 여름의 정원을 덮었고, 의기충천한 산들바람이 살아 있음을 축복해 주었다. 그가 보내는, 당신을 향한 사랑의 메아리가 언젠가는 행복으로 돌아오리라고 굳게 믿었다.

긴 잠

늘 푸른 대지였다. 하늘과 맞닿은 땅은 초록의 눈부신 잎들 천국이었다. 가도 가도 그 끝이 보이지 않는 나무들의 세상. 그는 구름 장막이 걷힌 산길을 따라 느긋하게 운전하였다. 바람이 창을 훑으며 지나갔다. 적막한 도로는 무성한 숲을 파노라마처럼 펼쳐 보였다. 이 길을 오래전부터 알고 지낸 듯하였다. 그는 무척 오랫동안 달리고 또 달렸다. 햇빛이 도로를 비추었다. 그 빛은 순차적으로 그의 다리와 팔과 가슴과 얼굴을 감쌌다. 따스함이 오싹하도록 정겹다.

그는 차창을 살짝 열었다. 그러자 살랑이는 바람이 창을 넘어 팔을 스치며 수삭이기 시작했다. 그는 점점 더 부풀어가는 자유의 유쾌하고도 향기로운 소음에 빠져

들었다. 그러다 문득, 무척 가벼워진 자신을 발견하였다. 마치 슬로비디오처럼 모든 게 정지한 듯 꾸물거리며 둥둥 뜨기 시작했다. 하지만 그것도 잠시, 그를 감싼 자동차는 점점 빠른 속도로 밑으로 하염없이 내려가기 시작했다. 공포가 그를 삽시간에 덮쳤다. 그는 바둥거렸다. 안간힘을 쓰며 떨어지지 않으려고 발작처럼 힘을 주었다. 하지만 아무런 소용이 없었다. 알 수 없는 심연으로 그는 끝없이 떨어졌다.

그는 심한 고통을 느끼며 눈을 떴다. 하지만 눈앞은 지독한 먼지로 뒤덮인 듯 까끌까끌하며 흐렸다. 그리고 온몸은 납덩이에 눌린 듯 꼼짝할 수가 없었다. 그는 한동안 꿈에서 벗어나지를 못하였다. 깨어났어도 그를 사로잡은 것은 녹색의 땅과 푸른색의 하늘이 엮어낸 잔영과 뒤섞인 심연의 공포였다.

'얼마를 이렇게 있었나?' 도저히 그는 알 수 없었다. 무척 긴 것처럼 느껴졌으나 무엇 하나 확신을 가질 수는 없었다. 그는 그렇게, 온몸을 두드리는 고통과 자신으로 돌아오는 시간의 흐름 속에 방치되어 있었다.

　'아케론 포프.' 자신의 존재를 의식하며 기억해 낸 그의 이름이었다.

　'안나.' 아내의 이름. 그리고 곧 슬픔이 찾아왔다. 그리움의 아픔. 혼란이 점점 또렷이 눈앞에 펼쳐졌다. 도시의 구부정한 골목을 메우던 시체들. 사방을 에워싸던 절망과 거친 폭음이 만든 검은 하늘. 새들이 벽에 박힌 채 말라비틀어졌고, 오래된 항구도시의 가로등은 뒤틀리고 휘어진 채, 기이한 얼굴로 사람들의 종말을 지켜보고 있었다. 뒤죽박죽 엉켜버린 무수한 차량. 뜨거운 태풍이 휩쓸고 갈색 소나기가 사방으로 흩뿌려졌다. 땅이 흔들리고 빌딩 외벽을 둘러싼 유리창들이 날카로운 비수가 되어 우수수 쏟아졌다. 공포와 사람들의 아우성, 기이한 굉음이 메아리쳤다. 그가 무거운 몸을 이끌고 나온, 거리를 도배한 것은, 낙엽처럼 뒹구는 시체였다. 모든 살아 숨 쉬는 것은 고통과 절망이었다. 그의 도시가 생소했다. 그가 나고 자라고 사랑을 한 이곳이 이제 딴 세상이 되었다.

"지금 진통제가 투여되었습니다. 조금만 참으시길 바랍니다." 갑자기 어디에선가 부드러운 목소리가 들려왔다. 그의 시야는 여전히 반투명의 세상이었다.

"당신은 누구인가요?" 아케론은 몸을 일으켜 세우려 안간힘을 쓰면서 소리 나는 쪽을 응시했다.

"저는 재론 오방카스라고 합니다. 하지만 여기서는 라후라로 불립니다. 아케론님." 그는 높낮이가 거의 없는 목소리로 천천히 또박또박 말을 하였다. 그리고 아케론의 어깨에 손을 살포시 얹었다.

"여기는 어디인가요? 그리고 저는 왜 볼 수도, 움직일 수도 없는가요?" 아케론은 쉰 목소리를 삼키듯 뱉으며 답답한 듯 한숨을 쉬었다.

"우선, 당신은 펜타닐에 심각하게 오염되었습니다.

치사량의 서너 곱절에 달하는…” 라후라는 아케론의 팔과 다리에 연결된 튜브로 전달되는 특수 용액을 눈여겨보기 시작했다.

“그런데 왜 저는 아직 살아 있나요?” 그는 손을 허우적거리며 소리 나는 쪽으로 얼굴을 돌렸다.

“지금 당신이 느끼는 고통은 해독과정입니다. 망가진 모든 세포가 새로운 세포로 대체되고 있습니다. 꽤 많은 시간이 걸릴 겁니다.” 라후라는 아케론의 이마에 손을 살짝 얹어 체온을 살폈다. 여전히 뜨거웠다.

“얼마나 걸릴까요?”

“자연에서는 인간이 새로운 세포로 바뀌는데 6, 7년 정도 걸립니다. 하지만 저희가 적용하는 기술이라면 36시간 정도면 됩니다. 조금만 더 참아주시기를 바랍니다.”

“여기는 어디 인가요? 그리고 왜 저를 살려주셨나

요?" 아케론을 무엇보다 가장 어리둥절하게 만든 의문
이었다.

"아케론님, 지금은 회복에만 집중하시기 바랍니다.
당신의 신체 기능이 모두 정상이 되면 우리는 당신에게
모든 것을 말씀드릴 것입니다. 그럼, 약간의 수면제를 놔
드리겠습니다. 내일쯤이면, 당신이 나를 좀 더 알아볼 수
있기를 바랍니다. 그럼. 이만…." 라후라는 가볍게 그의
어깨를 몇 번 쓰다듬은 뒤, 천천히 몸을 움직여 그의 곁
을 떠났다. 조명이 무겁게 내려앉기 시작했다. 그리고 서
서히 아케론의 의식도 다시 흐려지기 시작했다. 그러자
다시 아내와 아들이 돌아왔다.

거칠고 오염된 바다를 헤엄치며 안나는 먹을거리를
구하러 서서히 그의 곁에서 멀어졌다. 아들은 그의 곁에
서 엄마를 큰소리로 외치고 있었다. 지독한 바람이 불었
다. 눈을 뗄 수조차 없는 모래바람이 연약하기만 한 그
들을 세차게 때렸다. 한동안 부자는 웅크린 채 서로의
손을 꼭 잡았다. 그렇게 알 수 없는 시간이 한동안 지나

갔다. 황량한 바람이 잦아들자 선명한 대지가 눈에 들어왔다.

이스트 델타곤 지역. 오염물질 방지를 위한 거대한 방벽이 겹겹으로 쌓인 곳. 버려진 땅의 난민들은 늘 이곳을 서성거렸다. 이곳을 지나면 거대한 돔이 나타난다. 모든 오염과 치명적인 방사선을 차단하는 곳. 극소수의 부자들이 거주하는 〈하베스트 프로텍터 돔〉. 소위 노아의 돔. 그곳에 신분 상승은 아예 존재하지도 않았다. 돔의 주민과 그 자손들은 영원히 주인이고, 방문자들은 영원히 하인이었다. 하지만 그 하인조차 아무나 할 수 없다. 브로커에게 무척 가치 있는 것을 주어야만 가능하였다. 그리고 모든 아름다움과 고상함이 떠나간 곳에는, 망각의 늪에 몸을 담글 수 있는 고귀한 약물만이 남았다. 지옥의 세상에는 마약이 보석이었다.

아케론이 다시 잠에서 깼을 때, 그를 짓누르던 고통은 여운으로민 남아 있었다. 몸과 마음이 한결 가벼워졌다는 느낌이 그를 감쌌다. 하지만 흐린 시야는 여전했다.

"누군가 거기 있나요?" 그는 목소리에 힘을 주어 제법 크게 외쳤다. 하지만 반향만 들릴 뿐이었다. 그는 한동안 귀를 쫑긋 세운 채, 미세한 움직임을 감지하려고 애를 썼다. 낮은 기계음과 삐삐거리는 신호음들이 규칙적으로 방을 메우고 있었다. 그렇게 어느 정도의 시간이 흐르자 차츰차츰 눈앞이 맑아 왔다.

방은 따스했고 단순했다. 작은 침대와 투명한 물잔, 은색 물병과 흰 베개. 가벼운 이불과 덮개가 덮여 밖을 알 수 없는 창, 겨자색의 문과 격자무늬로 이루어진 벽. 그리고 어디선가 흐릿하게 흘러나오는 단순한 전자 음악이 방을 채우고 있었다. 그리고 그때 누군가가 조용한 발걸음으로 들어 왔다. 그는 옅은 미소를 띠며 그에게 다가와서 속삭였다.

"깨셨군요." 아케론에게는 낯선 얼굴이지만 익숙한 목소리였다.

"라후라 씨군요." 아케론은 확신에 찬 표정으로 말했다.

"네. 잘 견디셨습니다. 통증은 어떠한가요?" 라후라는 그의 이마에 손을 얹으며 물었다.

"많이 좋아졌습니다. 눈도 좋아졌고요." 그의 말에 라후라는 흐뭇한 표정으로 고개를 끄떡거렸다.

"빛에 망막이 적응하는 과정입니다. 아주 오랫동안 빛을 모른 채 지냈으니까요."

"얼마나?" 아케론은 마치 기다렸다는 듯이 질문을 던졌다.

"음…. 아마…. 매우 놀라시겠지만, 지금은 2099년입니다." 라후라는 그의 손목시계를 살짝 터치하여 홀로그램으로 된 영상을 그에게 보여 주었다. 그곳에는 보라색의 형광 숫자가 2099로 나타났다.

"2099년?" 아케론은 숫자를 뚫어지게 쳐다봤다.

"네, 당신은 거의 30년 동안 잠들었습니다."

"어떻게?" 아케론은 믿을 수 없는 표정으로 그를 쳐다봤다.

"<인체냉동보존> 장치 속에 있었습니다." 라후라는 다시 홀로그램으로 된 장치 영상을 그에게 보여 주었다.

"저 또한, 얼마 전까지 이곳에 잠들어 있었습니다." 라후라는 코믹한 표정을 지으며 그의 어깨를 다독거렸다.

"여기는 어디인가요?" 아케론은 마치 꿈에서 덜 깬 듯한 표정으로 주위를 둘러보며 물었다.

"이곳은 남극대륙과 가까운 외딴 섬입니다. 우리는

빙벽 속에 아주 중요한 여러 가지를 보관하고 있습니다. 소중한 사람도 포함해서…"

"하지만 저는 가치 있는 사람이 아닙니다. 그냥 피난민에 불과한데…" 아케론은 겸연쩍은 모습으로 그를 쳐다봤다.

"음…. 그건…. 중요한 사람의 아버지입니다." 라후라는 잠시 망설인 끝에 사실을 털어놓았다.

"…그럼 제 아들이? 키에르 포프가?" 아케론은 놀란 표정으로 그를 뚫어질 듯 바라봤다.

"네, 아드님이 살아 계십니다." 라후라는 미소를 지었다.

"그럼 아내는? 혹시 아내 소식은 알고 있나요?" 아케론은 황급히 질문을 다시 던졌다.

"네, 불행하게도…. 이미…." 한동안 침묵이 흘렀다.

"아들을 만나 볼 수 있나요?" 이윽고 침묵을 깨고 아케론이 물었다.

"그래서 당신을 깨웠습니다. 그리고 한가지 미리 아셔야 할 부분은…." 라후라는 그의 눈에 뵈진 눈물을 보며 천천히 말을 이었다.

"당신이 잠든 사이…. 아드님의 나이가 이제 당신의 신체 나이와 비슷하다는 점입니다."

"그렇겠군요…. 하지만 여전히 한 가지 의문은 남습니다." 아케론은 자신을 다독이듯이 그에게 물었다.

"제가 죽을 당시 저의 아들은 어린 꼬마에 불과한데…. 어떻게 중요한 인물이라는 것을?"

"그건, 저 또한 마찬가지의 의문을 가지고 있습니다.

어떻게 미리 알고 당신을 살리기로 한 건지?…" 라후라는 방안을 천천히 걸으며 말을 이어 갔다.

"다만, 제가 말씀드리고 싶은 사실은, 이 모든 설비를 그분이 만드셨다는 점입니다. 아마겟돈이 있기 수십 년 전부터 말입니다. 저도 그분의 예지 능력에 한 번씩 깜짝깜짝 놀라곤 합니다."

"그분의 성함은?" 아케론은 마른침을 꿀꺽 삼키며 물었다.

"노재현으로 알려져 있습니다."

"그럼, 그 유명한 <메타딥>의 회장?" 아케론은 성마른 듯한 표정으로 그를 쳐다봤다.

"네, 맞습니다. 그분이십니다. 그리고 저는 그분의 비밀 조직인 <푸른강>의 일원입니다. 라후라는 그분이 지어주신 이름입니다."

"그분을 뵐 수 있을까요?"

"우선, 저와 함께 아드님을 먼저 만나러 가실 겁니다. 꽤 멀고 위험하고 깊은 여정이 될 겁니다."

"깊은 여정?"

"네, 아드님은 지하도시에 계십니다." 라후라는 확신에 찬 표정으로 아케론의 손을 굳게 잡았다.

키에르 포프

키에르의 집무실에는 푸른 하늘에 빛나는 태양과 사람으로 가득한 해변을 찍은 사진이 걸려있다. 그는 아직

실제로 저런 하늘 모습을 본 적이 없었다. 더욱이 투명에 가까운 대기 속에 맨살을 드러내고 일광욕하는 그들의 모습은, 그에게는 마치 외계인을 보는 듯한 이질감을 주곤 하였다. 방독면과 보호복 없이 땅 위에 선다는 것은, 아마겟돈 이후 출생인들 에게는 자살행위나 다름없었다.

오전 10시를 알리는 홀로그램 시계 영상이 나타나자마자 노크 소리와 함께 비서가 들어왔다.

"주간 안보 회의가 곧 있을 예정입니다. 의장님." 곧이어 그의 책상에서 약간 떨어진 곳에 있는 6개의 홀로그램 TV가 병렬로 나란히 나타났다. 그 속에는 각각, 지상, 지하, 해양, 우주 담당 국방부 장관과 부의장, 비서실장이 모습을 드러냈다.

"안녕하세요. 다들 잘 지내고 계시는가요?" 키에르는 TV 속 인물들에게 돌아가면서 인사를 주고받았다.

"오늘의 특별 주제는 2가지입니다. 의장님." 뼈가 앙상하게 드러난 얼굴을 한 비서실장이 뻣뻣하게 풀기를 먹인 정장이 어색한 듯 한 번 쓱 펴면서 회의 안건을 내놓았다.

"하나는, 지난주 우주 방위 사령관의 안보 브리핑에서 주목하였던 태양계 7개 식민 국가의 세력 다툼이, 화성을 근거지로 한, <마스 연합>의 승리로 거의 마무리되고 있다는 점입니다. 30년 가까운 우주 전쟁으로 인하여 대다수의 식민지 서클이 균열하고 세력은 약화한 것으로 판명되지만, 문제는 그동안 구축한 비대한 군사 장비와 군인들을 소진하기 위한 탈출구로 지구 권역 대의 지상과 지하로 눈을 돌릴 가능성이 무척 커졌습니다. 고대 역사를 살펴보면, 일본이라는 나라가 조선이라는 국가를 침략한 사건과 흡사할 수 있습니다. 센고쿠 시대, 7개의 세력을 통일한 일본은 지나치게 비대해진 군사력을 소진하기 위하여 이웃 나라인 조선을 침공하였습니다. 언제든지 반란의 소지가 있는 막강한 군사력을 소진함과 동시에 추가로 얻을 수 있는 식민지의 확장은, 여

러모로 보아 통일 제국을 이룬 정치세력이 취할 수 있
는 좋은 복안이라는 생각이 됩니다." 비서실장의 말을
받아 우주 국방부 장관이 반론을 이어갔다.

"하지만 통일은 되었지만, 여전히 국지적인 저항 세
력이 태양계 전체에 널리 퍼져 있는 상황이라 쉽사리
지구 영토로 침공할 우려는 크지 않은 것으로 생각됩니
다. 좀 더 지켜보는 것도 나쁘지 않을 것 같습니다. 현
재 상황으로 본다면…." 그는 돋보기안경을 만지작거리
려 말을 했다.

"마스 연합의 지도자는 어떤 유형의 인간인가요?"
부의장이 불쑥 끼어들며 질문을 던졌다.

"뭐, 다들 아시겠지만, 아마겟돈 이전에 지구 대부분
의 금융 권력을 지배하던 <아르한 가문>의 맏형이라고
알려져 있습니다. 독일 출신이고 <헬므강>이라고 부릅
니다. 하지민 본명이 아닐 가능성이 무척 큽니다. 아르한
가문의 특징이 철저한 비밀주의입니다. 그리고 그의 나

이로 추정하건대…" 우주 국방부 장관은 사뭇 심각한 표정으로 변해갔다.

"그의 나이?" 키에르는 호기심을 꿀꺽 삼키며 그를 쳐다봤다.

"그는 아마겟돈 이전에 이미 60세였습니다. 인간이 아닐 가능성이 큽니다."

"그럼? 인조인간?" 비서실장이 눈살을 찌푸리며 물었다.

"오히려 AI에 가깝다고 보는 게 타당하지 않을까 봅니다. 왜냐하면 아직 공식적인 자리에 모습을 나타낸 적이 없으며, 그 어떤 형태로든 그의 모습을 포착할 수 있는 영상이 전혀 없습니다. <블루딥> 사의 7세대 인공지능이라고 봐야 할 듯합니다." 우주 국방부 장관은 단호한 표정으로 말을 이어갔다.

"헬므강이 블루딥 사의 최대 주주인 것은 이미 세상에 잘 알려진 사실입니다. 그리고 그가 직접 AI 최고 권위자인 이휘손 박사를 끌어들인 것도 널리 알려진 이야기입니다."

"그럼 헬므강을 마인드 업로딩 한 AI라고 봐야 하는 건가?" 키에르가 조심스럽게 질문을 던졌다.

"네, 좀 더 정확히 하자면, 초강력 양자 컴퓨터로 구축한 AI에 헬므강의 의식과 의지를 주입한 경우라고 봐야 할 듯합니다." 갑자기 회의장 분위기가 찬물을 끼얹은 듯 조용해졌다. 그들이 앞으로 마주해야 할 상대가 초강력 지능으로 무장한, 죽지 않는 인간인 셈이었다.

"하지만 AI라면, 우주에 산재해 있는 인간에 대한 공격은 원천적으로 불가능한 것으로 알고 있는데…" 부의장이 침묵을 깨고 질문을 던졌다.

"원칙적으로는 그렇습니다. 하지만 패러독스가 작용

합니다. 다수의 인간을 지키기 위한 소수의 살해를 용인할 것인지 말 것인지에 대한 사항 말입니다. 오래전부터 있는 논란입니다. 문제는 인공지능에 대한 대중의 지나친 낙관론에 있다고 봅니다. 블루딥은, 초기부터 AI를 상업적이고 대중적인 인기몰이에 이용하면서, 창조주 즉, 인간에 대한 보호를 경시하였습니다." 우주 국방부 장관이 심각한 표정으로 말을 이어갔다.

"아무튼 지금은 지하세계를 대표하는 저희로서는, 우리가 내릴 결정을 좀 더 뒷받침할 수 있는 정보가 추가되어야 한다는 생각이 듭니다."

"그럼 잠시 정보 보안부 실장님을 연결하도록 하겠습니다. 아무래도 최신 정보를 보고 받고 결정을 내리는 게 좋을 듯합니다." 키에르는 주위를 둘러보며 동의를 구했다.

"네, 연결되었습니다." 얼마 지나지 않아 비서로부터 답변이 왔다. 곧 7번째 TV가 추가되었다.

"안녕하세요? 실장님."

"아, 네 안녕하세요. 의장님. 안 그래도 안보 회의 후 연락을 드리려고 대기 중이었습니다."

"네, 무슨 일이 있나요?"

"뭐, 그다지 중요한 사항은 아닙니다. 우선, 의장님의 질문을 받고 나중에 말씀드리도록 하겠습니다."

"뭐, 저의 질문은 늘 아시다시피 하늘과 땅에 관한 것입니다. 우리의 안보에 가장 직접적인 영향을 미칠 수 있는 것들이지 않습니까?" 의장은 미소를 띠며 그를 쳐다봤다.

"네, 결론부터 말씀드리자면, 그다지 상황이 좋지는 않습니다. 우선 잘 아시다시피, 태양계를 휩쓸던 30년 전쟁은 거의 마무리되었고 하나의 제국으로 통일되었다고 봐도 무방한 듯합니다. 저희 요원들이 알아본 바로는, 분쟁 종식에 원칙적인 합의를 한 것으로 판명됩니다. 물론 승자의 요구를 대부분 수용하는 일방적이고 요식적인 행위에 지나지 않습니다만…. 대비를 하셔야 할 것으로 보입니다. 정보 요원 및 군비 증강에 대폭적인 확충이 필요하지 않나 생각합니다. 그리고…." 실장은 잠시 말을 멈추고 자신이 준비한 자료의 페이지를 하나 넘긴 뒤 말을 이어갔다.

"땅의 상황도 그다지 좋지는 않습니다. 남극지방 세력이 오스트레일리아, 뉴질랜드, 동남아 일대를 거의 장악한 상황입니다. 그들이 확보한 대량의 식품과 첨단 기술로 인하여 명맥만 유지하던 소국들은 자발적인 통합으로 이어지고 있습니다. 최근의 7개국 소연합 공동체 발동은 그 대표적인 향방이라고 봅니다. 문제는 <빙하 왕국>의 지도자, <프라노>의 나이에 있습니다. 거의 일흔 살이 다 되었습니다. 후계자 부분이 다소 미정인 상태이다 보니, 좀 더 뚜렷한 활동은 펴고 있지 않으나, 만약 급진적 세력 확장에 기반한 군부 세력 쪽으로 기울게 된다면 걷잡을 수 없는 분쟁의 소용돌이로 말려들 수도 있을 것 같습니다. 다행히 최근의 정세는 중도파인 국회의장 쪽으로 무게가 실리고는 있습니다. 그렇다고 하더라고 경계를 늦출 수 없는 이유는, 워낙 환경이 모진 곳이다 보니 주민들의 생각을 지배하는 것은 영토 확장이 최우선이 될 수가 있습니다. 언제까지 극지방을 기반으로 눌러앉을 것 같지는 않습니다만…"

"잘 알겠습니다. 실장님. 그런데 내게 보고 할 것이 있다고 하였는데…" 의장은 궁금증을 참지 못하고 끼어들었다.

"아, 네 보안사고입니다. 지방 보안국에서 충분히 처리할 수 있는 사항이지만 몇 가지 이상한 점이 발견되있습니다."

"뭔가요?"

"우선 20대 혹은 30대 초반으로 보이는 남성 2명이 오랫동안 폐쇄되었던 지상 홀을 통하여 저희 영토를 무단 침입하였습니다. 무기는 소지하고 있지 않은 점으로 보아 그다지 위급한 상황은 아닙니다. 그런데….

"그런데요?" 부의장이 성마르게 끼어들었다.

"정보창에 뜬 나이는 두 사람 다, 60이 훌쩍 넘습니다. 그리고 그중에 한 사람은 푸른강의 형제입니다."

"푸른강 형제? 몇 번째인가요?" 키에르는 성마르게 물었다.

"8의 형제 라후라입니다. 그런데 나머지 한 분이 더욱 흥미롭습니다."

"나머지 한 분요?" 모두의 시선이 안보실장에게로 모였다.

"네, 이름이 아케론 포프입니다." 순간, 모두의 시선이 의장에게로 쏟아졌다.

"의장님의 돌아가신 아버지 성함과 철자까지 똑같습니다. 물론 생일도 같고요…."

"그럼?" 의장은 혼란스러운 표정으로 실장을 응시했다.

"네, DNA도 의장님과 일치합니다. 믿기지 않겠지만 마치 타임머신을 타고 미래로 오지 않고서는 설명이 되지 않는 상황입니다." 키에르 포프는 길게 한숨을 쉬며 소파에 몸을 눕혔다.

얀

키에르 일행이, 반중력 초고속 열차, JAn(얀)에 탑승한 것은 다음날 오후였다. 이미 수많은 환영 인파가 플랫폼을 가득 채우고 있었다. 그도 그럴 것이, 대중의 절대적인 지지를 받는 <애틀랜타>의 지도자 키에르가 아버지를 30년 만에 만났다는 소식은 SNS를 통하여 이미 전 지하세계에 파다하게 퍼졌다. 마치 쌍둥이 형제처럼, 비슷한 외모와 젊음을 간직한 포프 부자의 모습에 사람들은 신기한 듯 처다보며, 그들을 담은 짧은 영상을 네트워크에 올리기 시작했다.

"이 모든 것은 어머니가 있었기에 가능하였습니다. 아버지." 키에르는 열차 좌석에 앉자마자 맞은편에 앉은 아케론을 처다보며 말했다. 아케론의 옆에는 라후라가 앉았다.

"어머니의 이름이 안나라고 하였나?" 라후라가 물었다.

"네. 안나 포프. 여기서는 애틀랜타 재건의 어머니라

고 부릅니다." 아들은 흐뭇한 미소를 띠며 창밖의 수많은 인파에 손을 흔들기 시작했다. 곧이어 누군가가 구호를 연호하였다. 그리고 곧 모든 이들이 따라 외치기 시작했다.

"마더 포프, 마더 포프, 마더 포프…." 열차가 천천히 움직이기 시작했다. 하지만 사람들의 외침은 점점 더 커졌다. 마침내 모든 인파의 모습이 사라지자 정적이 찾아왔다. 창밖은 암흑이었다. 사실, 열차가 가고 있는지조차 느낄 수 없었다. 동굴의 외벽에 설치된 파란 등이 규칙적으로 지나가는 것 외에는 움직임이나 소음이 전혀 없었다. 그리고 그때, 라후라는 아케론의 눈에 고인 눈물을 보았다. 그는 라후라에게 이런 말을 한 적이 있다.

"늘 아내 생각뿐입니다. 지금도, 어제도 그리고 내일도…"

"안이 지하도시를 잇기 시작한 것은 20년 전입니다. 사실, 그전까지는, 이곳 지하도시들은 그들 각자의 영역

속에 폐쇄된 채로 발전해 왔습니다. 즉, 서로서로 알지 못하고 있었죠." 키에르는 숙연한 분위기를 바꾸고 싶은 듯, 쾌활한 표정으로 말을 이어갔다.

"그러므로 이 고속열차가 사람으로 치면 동맥인 셈이죠…. 그리고 10년 동안의 대공사 끝에 9개의 지하도시가 모두 연결되었습니다. 마침내 <애틀랜타 연합 민주 공화국>이 완성된 거죠. 좀 더 정확한 용어를 사용하자면, 애틀랜타 사회 민주국이라고 칭하는 게 타당할 것입니다."

"그럼, 사회주의 개념을 도입한 건가?" 라후라가 물었다.

"네, 위대한 역사학자 <릴리안 나리>의 표현을 빌자면, 마르크스의 이론에 가장 근접한 최초의 국가이기도 합니다. 사실, 아포칼립스 이전에 공산주의를 표명한 국가들 대부분이 전제군주제에 불과하였으니까요. 어찌보면, 건국의 어머니 릴리안이 피난민들 속에 섞여 이곳으로 내려온 자체가 저희에게는 축복입니다."

"그럼 릴리안 나리가 이곳에서?" 아케론이 물었다.

"네, 재건의 어머니들이라고 부릅니다. 저희 어머니 안나 포프, 역사학자 릴리안 나리, 그리고 우리에게 구원의 씨앗을 제공한 제냐. 이렇게 세분이 이곳을 지옥에서 천국으로 만드신 분입니다." 키에르는 자랑스러운 표정을 짓다가 금방 시무룩한 표정으로 바뀌었다.

"세 분 모두 일만 하시다가 돌아가셨습니다…. 피난 오실 때 이미, 방사능에 많이 노출된 상태였습니다. 아픈 몸을 이끌고…" 키에르, 아케론 그리고 라후라 모두 회한에 젖은 듯한 표정으로, 잠시 정적이 흘렀다. 그리고 이때, 다과가 마련되었다. 연분홍빛의 맑은 색의 차와 화려한 케이크 조각이 놓였다. 아마겟돈 이전의 음식과 흡사하였다.

"저는 대멸종 이후의 세대인지라, 사실 그때의 음식

을 비교하기가 힘듭니다만···. 품질면에서 무척 근접했다는 이야기를 많이 듣습니다. 그리고 이 부분에 대해서 사실, 김관홍 님께 늘 감사를 드리고 있습니다."

"그분께서 어떻게?" 라후라는 키에르를 보면서 반가운 표정을 지었다.

"네 그분께서 국제 핵융합 연구소의 사르트르 박사팀을 이곳 지하세계로 인도하셨습니다. 덕택에 우리는 인공 태양을 갖게 되었습니다. 거의 모든 게 지상과 같은 환경이 된 것입니다. 즉, 예전처럼 작물을 키울 수가 있게 된 것입니다. 게다가 인공 태양을 이용한 청정에너지를 이용하다 보니 지하의 가장 골칫거리인 공해 및 환기 문제도 해결하였습니다. 이 고속열차 또한 태양 에너지를 이용합니다." 키에르는 뿌듯한 표정으로 아케론과 라후라를 교대로 쳐다봤다.

"김관홍 님을 본 적이 있으신가요? 라후라님." 아케론이 라후라를 따스한 눈길로 쳐다보며 물었다.

"네, 딱 한 번 봤습니다. 저에게도 생명의 은인이시죠. 게다가 저를 형제단에 추천해주신 분이기도 합니다. 사실 저의 모든 메시지는 김관홍 님에게서 옵니다. 저는 푸른강의 처음과 끝 형제와 연결되어 있습니다. 1의 형제 김관홍 님과 13의 형제 싯다르님입니다."

"두 분은 모두 깨어나셨나요?" 아케론이 물었다.

"아직 동면 중입니다. 하지만 곧 깨어나실 겁니다. 일전에 말씀드린 대로, 아마겟돈을 일으킨 것으로 추정되는 세력들이 태양계의 통일을 목전에 두고 있습니다. 그들은 틀림없이 다시 지구를 바라볼 것입니다. 더 강력한 군사력으로 말입니다. 우리에겐 그들에 관한 정보가 매우 필요합니다. 그리고 정보 수집에 관한 한 아마 김관홍 님과 싯다르님을 능가하는 이는 없을 겁니다."

"그럼?" 키에르가 라후라에게 고개를 좀 더 가까이 다가가며 물었다.

"네, 앞으로 저희가 할 일이 무척 많습니다. 지구의 모든 고귀한 생명체를 보존해야 하니까요. 안타깝게도 지금까지 너무 많은 종이 사라졌습니다. 그 대부분이 인간으로 말미암아…" 라후라는 마치 이 모든 것이 자신의 탓인 양 안타까운 표정을 지었다. 잠시 침묵이 흘렀다. 그리고 그는 무거워진 분위기를 반전해야겠다고 생각하였다.

"하지만, 오늘은 부자 재회의 기쁨과 지하 세상에 대한 여행의 설렘을 간직하고 싶습니다." 라후라는 환한 미소를 띠며 차 안의 승객들을 돌아가며 쳐다봤다.

"한가지, 아이러니한 이야기하자면….도시는 강을 끼고 발달하기 마련이죠. 당연하게도 물이 생명의 기원이니까요. 이곳 지하세계에도 5개의 큰 물줄기가 있습니다. 9개의 지하도시도 역시 이 물줄기를 따라 발전했죠. 우리는 이 5개의 물줄기를 각각, 아케론, 코퀴토스, 플레게톤, 레테, 스틱스라고 부릅니다." 키에르가 미소로 화

답하며 화제를 바꾸었다.

"그리스·로마 신화에 등장하는 저승에 흐르는 다섯 개의 강 이름이군요." 라후라가 지적했다.

"네, 맞습니다. 이곳 지하는 이미 천 년 전에 형성된 세계입니다. 초기 개척자들은 대부분 박해받는 이들이었죠. 종교, 전쟁, 민족, 관습, 법률 등등…. 그들은 삶을 찾아 지옥으로 내려온 셈이죠. 그리고 아시다시피, 이제 지상은 지옥이 되었고 지하는 삶의 천국이 되었습니다. 그리고…." 키에르는 잠시, 뭔가에 복받치듯, 말을 멈추었다.

"그리고?" 라후라가 되물었다.

"저는 비통의 강, 아케론의 아들로 태어났죠. 그리고 지금 아케론강의 최대 도시 <아케로니아>의 최고위원이 되었습니다. 하하하." 키에르는 아버지의 손을 잡으며 즐거운 표정을 지었다. 그때, 열차의 조명이 서서히 줄어들기 시작했다. 탑승객들의 웅성거림이 잠시 멈춘 듯하더니 다시 이어졌다.

"아, 이제 쇼타임이 시작되겠군요." 키에르는 함박웃음을 지으며 짓궂은 표정을 지었다.

"쇼타임?" 아케론이 물었다.

"네, 이 초고속 열차는 최고 시속 800km에 달하는 최첨단 과학의 결정체입니다. 땅속을 그야말로 비행기에 맞먹는 속도로 달리죠. 게다가 무소음에 무진동, 무사고를 자랑합니다. 엄청난 작품이죠. 하지만 단점이 없을 수는 없죠. 뭐, 이것도 단점이라면 단점이겠지만 말입니다."

"단점?" 아케론과 라후라의 입에서 동시에 그 말이 터져 나왔다.

"네, 지루함입니다. 너무 심심하죠. 게다가 땅속이라

바깥 풍경은 모두 암흑이죠." 키에르의 말이 떨어지기 무섭게 어두운 창들이 밝게 빛나기 시작했다.

"그래서 우리는, 열차가 지나가는 동굴 벽을 따라 비슷한 형태의 멋진 그림을 표시할 수 있는 장치를 만들었습니다. 그리고 우리 기차가 일정한 속도가 되면 그 그림들은 서로를 연결합니다. 마치 우리의 운명이 모두 하나로 연결되어 있듯이…." 이윽고 창을 비추는 그림들이 서서히 움직이며 애니메이션 형태로 나타나기 시작했다.

"이 애니메이션에는 지금까지 800개 이상의 이야기를 담고 있습니다. 저는 오늘 기장님에게 특별히 부탁하여 초기 작품을 보여드리고자 합니다. 아마겟돈 이후, 지하세계를 맨몸으로 건설한 피난민들의 이야기입니다. 그리고 제 아버지가 가장 궁금해하는 제 어머니의 이야기이기도 합니다."

열차의 창에 수많은 피난민이 그려지기 시작했다.

처음은 혼란의 도가니였다. 그들은 살기 위해, 지상에서 처럼 서로가 죽고 죽이는 악행의 순환을 벗어나지를 못 하였다. 모든 살아 숨 쉬는 것은 지옥 속에 있었다. 그리고 그중에는 어린 아들의 손을 꼭 잡고 불안 속에 숨어 있는 안나가 있었다. 그녀의 옆에는 피난길에 알게 된 제냐와 릴리안이 있었다. 제냐는 인도 여인 특유의 검고 깊은 눈동자를 지니고 있었다. 그리고 릴리안은 작고 깡마른 아시아 여인이었다. 그들은 피난민들의 행렬과는 동떨어진 길로 가고 있었는데 이건 어느 모로 보나 무척 위험한 행동이었다. 굶주림은 인간을 좀비로 만들어버렸다. 그들은 모든 움직이는 것을 잡아 죽였다.

안나와 꼬마 키에르, 릴리안은 제냐의 도움으로 아사(餓死)를 피할 수 있었다. 제냐는 콩알만 한 알약을 가지고 다녔는데, 그건 고열량의 영양제였다. 그녀는 누군가의 도움으로 대멸종 이전에 이 약들을 얻었다고 하였다. 하지만 그녀는 끝끝내 그 누군가의 신원을 밝히지는 않았다. 그냥 내 가슴속의 사람이라고만 하였다. 이 부분에서 문득 아케론은 라후라의 눈동자가 흔들리는 것을 감지했다. 하지만 감히 그에게 물어볼 생각은 하지 못했다.

세 여인은 마침내 동굴 끝, 막다른 지점에 이르렀다. 그리고 그곳에 새겨진 문양을 릴리안이 해석하기 시작했다. 그녀는 고대언어인 산스크리트어, 이집트어, 아카드어, 수메르어에 능통하였다. 마침내 암호가 풀리고 오랫동안 닫혀있던 동굴 문이 열렸다. 그곳에는 지하세계에서 필요한, 각종 씨앗, 수경 재배법, 그리고 공기를 정화하는 방법 등이 기록된 다양한 책과 미디어가 있었다. 그리고 수십만의 사람이 몇 년 동안 살 수 있는 기초 식량이 보관되어 있었다.

세 여인은 서로를 얼싸안고 기쁨의 눈물을 흘렸다. 하지만 안나는 이내 냉정을 되찾았다. 그녀는 깊은 한숨을 쉬고는 또록또록 말했다.

"이곳을 지키기 위한 힘이 필요합니다. 모든 이들이 골고루 평등하게 혜택을 받기 위하여, 우리는 선량한 이들을 한데 모아야 합니다." 그러자 릴리안이 동조하였다.

"네, 맞습니다. 두 번 다시 같은 실수를 역사에 남기지 말기를…." 제냐는 조용히 두 여인의 거친 손을 굳게 잡았다. 아케론은 이 순간 라후라의 손을 다시 잡았다. 그리고 줄곧 품어왔던 의문을 그에게 속삭였다.

"당신이 이곳에 온 또 다른 이유가 있었군요?" 라후라는 살포시 잡은 손을 포개어 얹으며 고개를 천천히 끄덕거렸다. 어느새 그의 눈에는 눈물이 가득했다.

"네, 제 아내 안나를 만나러 왔습니다."

인 셉 션

모든 시작은 끝에서 출발한다. <호모 사피엔스 대멸종 제1장 1절> <릴리안 나리>

거친 땅이었다. 지글거리는 태양열은 대지의 구석구석을 찾아와 모든 것을 녹일 작정이었다. 닥터 조는, 모든 준비에도 불구하고, 자신과 동료가 고통받는 작금의 현실을 거의 예측하지 못한 안일함에 어느 정도 화가 난 상태였다. 그나마 다행인 것은, 행성 간 섹터 전진기지 KES에서 보내오는 항법 수신이 아주 정확하다는 것이며, 지금의 속도로 약 2시간 뒤면 목적지에 무사히 도착할 수 있다는 것이다.

해가 떨어지기 전에 말이다. 극상의 일교차를 나타내는 이곳 사막의 밤은 뼛속을 파고드는 추위로 악명이 높았다. 그리고 그는 지난 일주일 동안 그 사실을 뼈저리게 경험했다.

그가 다국간 환경오염 탐사대에서 이탈한 것은 열흘 전이었다. 사막 횡단 프로젝트를 시작한 지 겨우 이틀도

되지 않은 시점이었다. 두 사람의 현지인을 긴 설득 끝에 채용하였다. 하지만 특수 수송 장비의 혜택은 애당초 기대할 수 없는 형편이었다. 결국 전통 방식을 택했다. 낙타를 타기로 했다.

목적지는 금기의 땅이었다. 누구도 발을 들이기를 꺼리는 두려움의 영역이었다. 낮고 높은 산이 번갈아 나타났고 구릉과 계곡, 절벽이 느닷없이 펼쳐지는 곳이었다. 그곳에서 살아 돌아온 자는 극소수였고 그들은 공포를 후세에 새겨 넣었다.

박사가 이곳에 관심을 가지게 된 것은 우연이었다. DNA 분석을 통한 가계 혈통 프로그램에서 놀랍게도 그의 조상이 나르히트 중앙 사막 출신이라는 사실이 밝혀진 것이다. 하지만 이 사막은 그 너비가 500만 제곱미터에 달하는 광대한 지역이었다. 오지의 땅이지만 수많은 유목민과 원주민의 터전이었다. 그가 단순한 호기심으로 무엇인가를 밝혀내기에는 너무 넓고 애매한 곳이었다.

하지만 운명의 고리는 우연으로 다시 나타났다. 그를 일깨운 것은 한 편의 자연 다큐멘터리였다. 사막의 가장 외진 곳. 타르고 지방의 한 원주민이 일컫는 지명이 그를 삽시간에 사로잡았다.

'메스 엔 투, 메스 엔 투' 그들은 높고 둥근 산들이 솟은 곳을 손가락으로 가리키며 그렇게 불렀다. 그리고 그들의 눈은 두려움으로 가득 차 있었다.

닥터 조의 본명은 하르히스 메스 엔 투 조였다. 수백 년 동안 적장자에게만 붙이는 중간이름이 메스 엔 투였다.

어린 시절 그는 자신의 이름이 길고 그다지 매력적이지 못함에 대한 불평을 아버지에게 토로한 적이 있었다.

아버지는 별일 아니란 듯이 싱긋이 웃으며 자신도 줄

곧 그런 의문을 품었지만, 그 누구에게서도 시원한 설명을 들은 적이 없다고 하셨다. 그냥 전통이라고 하였다.

"아무튼 우리 가문에 누가 적장자인지는 알게 되잖아. 그리고 수백 년이 흘렀지만 대가 끊이지 않고 이어졌다는 사실도 알게 되고. 놀랍지 않니? 아마겟돈을 버텨냈다는 것도…. 그것으로 충분하지 않겠니? 중간이름이니 그다지 쓸 일도 없을 게고…"

****

삐 하는 소리와 함께 녹색 수신화면이 스마트 폰에 반짝거렸다. 도착을 알리는 메시지였다. 박사 일행은 걸음을 멈춘 채 잠시 사방을 둘러보기 시작했다. 평범했다. 돌과 흙, 계곡과 바람뿐이었다.

모든 것은 자연 그대로였다. 그리고 어떤 생명체도 눈에 띄지 않았다. 육체의 고통이 아무것도 아닌 것처럼 느껴지는 황망함이 그에게 찾아왔다.

'도대체 이게 뭐란 말인가? 바보같이…'

우연과 호기심, 조급함이 합작한 상실감이 삽시간에 그를 주저앉혀 버렸다. 그는 이제 손가락 하나 움직이기 힘든 것처럼 보였다. 안내인들은 눈치 빠르게 간이 텐트를 설치하고 불을 피웠다. 그리고 곧 해가 떨어졌다.

이윽고 또 다른 통증. 추위가 그의 몸을 찌르기 시작했다. 닥터 조는 몸과 마음이 모두 방전된 듯 널브러진 채 모든 고통에 노출되었다. 눈조차 뜨기 힘들 정도로 피곤하였지만 잠은 오지 않았다. 오히려 모든 감각은 날카로운 신경을 곤추세운 체, 거의 정지한 듯 움직이지 않는 시간 속에, 그를 갉아먹고 있었다.

그렇게 어느 정도의 시간이 흘렀을까? 문득 그는 자신이 어떤 규칙적인 파동에 몰두하고 있음을 깨닫게 되었다. 그건 틀림없이 안내인들의 코 고는 소리는 아니었다. 그렇다고 자신의 심장 소리도 아니었다.

가늘고 길게 캉 캉 캉 캉….

그건 규칙적인 반향음이었다.

그는 조용히 휴대용 공중음파 센서 장비를 꺼냈다. 그리고 둥근 달빛 속에, 무엇인가에 홀린 듯이 소리의 진원지로 끌려가기 시작했다. 돌부리에 넘어지고 차이기를 반복하며 그는 황량한 오지를 힘들고 외롭게 걸어갔다.

이윽고 낮은 구릉과 돌무더기가 나타났다. 그는 거의 기다시피 하며 안간힘을 다하여 한 발짝 한 발짝 움직여 나아갔다.

그리고 마침내 인조물을 발견했다. 사람 크기의 둥근 철문. 숨이 턱 하고 멈추었다. 마치 화성에서 외계인을 마주한 느낌이었다. 그는 그 자리에 반쯤 누운 채 깨알 같이 박힌 밤하늘의 별을 쳐다보며 가쁜 숨을 고르기 시작했다.

그렇게 날이 밝았다. 가느다란 햇살이 그에게 강한 온기를 가져다주었다. 순간 그는 지독한 졸음을 느끼며 눈을 감았다. 세상이 지나치게 빨리 도는 듯한 느낌이 들었다.

그가 다시 눈을 떴을 때는 이미 태양이 벌겋게 달아오른 뒤였다. 안내인은 그의 입에 조심스럽게 물을 넣어주었다. 그는 서둘러 자신이 마주한 문을 살펴보기 시작했다. 격자 모양의 평범한 문양이 일정하게 새겨져 있었다. 하지만 어디를 봐도 손잡이는 없었다. 열쇠 구멍도 보이지 않았다. 다 같이 밀어 봤지만 꿈쩍도 하지 않았다.

다소 경박하다고 느끼면서 몇 가지 유명한 주문도 외쳐봤다. 물론 아무 일도 없었다. 그사이 기온이 급박하게 올라갔다. 덩달아 철문도 빠르게 데워졌다.

일행은 주위를 샅샅이 살피기 시작했다. 그는 문을 열수 있는 아주 사소한 단서라도 찾을 수 있기를 바랐다. 하지만 아무것도 없었다. 마치 문짝 하나만 어느 날 뚝 떨어져 돌에 박힌 듯한 느낌이었다.

박사는 어쩔 수 없이 문을 다시 마주했다. 하늘 중앙을 차지한 태양은, 뜨거운 열기로 그를 태울 듯이 달려들었다. 서 있기조차 힘들었다. 그리고 이 문은, 이제 손도 댈 수 없을 정도의 뜨거움을 나타내는 붉은 기운으로 채워지고 있었다.

'이건 절망의 벽이야.' 그는 애초의 설렘이 급속도로 식어가는 자신을 애써 자위하며, 여기서 이제 돌아갈 수밖에 없음을 자신에게 다그치고 있었다.

바로 그때 안내인의 목소리가 들렸다. 그가 가리킨 곳은 문의 중앙이었다. 문 전체가 붉게 변색하였으나 여전히 검은 곳이 있었다. 손바닥만 한 크기의 원이었다. 그는 천천히 손바닥을 그곳에 대어 보았다. 이상하게 그곳만 서늘하였다. 그는 한여름의 바닷속에 있는 듯한 쾌적함이 순간 들었다. 그리고 마치 집에 온 듯한 안락함마저 느꼈다.

하지만 따끔거리는 통증이 그의 손을 급히 빼게 했다. 무엇인가에 찔린 듯 한 방울의 피가 손가락에 맺혔다.

그리고 몇 초가 지났을까?

엄청난 굉음이 쏟아져 내렸다. 마치 세상을 뒤집는 듯한 소리였다. 땅의 진동과 함께 둥근 철문이 서서히 옆으로 굴러가며 열렸다.

그러자 검은 구멍이 나타났다. 그리고 그곳에서 세상을 꽁꽁 얼린 만큼의 냉기가 뿜어져 나왔다. 그리고 익숙한 소리. 기계음이 들렸다.

그건 거대한 냉장고였다. 전체 벽면을 따라 대형 컴퓨터가 연이어 나타났다. 일행이 순차적으로 문을 열 때마다 방의 크기는 점점 커지고 넓어졌다.

그리고 마지막 문. 그곳은 끝을 알 수 없을 정도로 큰 지하 광장이었다. 그리고 그곳을 가득 메운 것은….

그것은 모두 핵폭탄이었다.

그는 풀썩 주저앉아 떨리는 손으로 자신의 이름을 한숨 쉬듯 되뇌었다.

"메스 엔 투. 메스 엔 투."

그는 자신의 이름이 갖는 의미를 알게 되었다. 그리고 마지막 대 전쟁 후에도 그의 조상이 살아남은 이유를 비로소 깨닫게 되었다.

그것은 끝과 시작의 타르고 방언이었다.

종말은 그의 뿌리에서 시작하였다.

그레고리 흘라디의 묘한 죽음

남킹

남킹 컬렉션 #001

남킹 컬렉션 #002

거짓과 상상 혹은 죄와 벌

남킹 장편소설

심해
DEEP SEA

남킹 SF 장편소설

남킹 컬렉션 #004

남킹 컬렉션 #005

당신을 만나러 갑니다

남킹 사랑 이야기

블루 드래곤

744

남킹 대본집

남킹 컬렉션 #006

파벨 예언서

떠오르는 위협

남킹 장편소설

남킹 컬렉션 #008

떠날 결심

남킹 미니픽션

남킹 컬렉션 #009

리셋
Reset

남킹 SF 소설집

남킹 컬렉션 010

남킹 컬렉션 #011

1월의 비

남킹 감성 소설집

남킹 컬렉션 #012

남킹의 문장 1

언어의 마법사 남킹의 문장들

남킹 컬렉션 #013

남킹의 문장 2

언어의 마법사 남킹의 문장들

남킹의 문장
3

언어의 마법사 남킹의 문장들

남킹 컬렉션 #014

남킹 판타지 소설 집

하니은 매화

남킹 컬렉션 #015

남킹 컬렉션 #16

남킹의 문장
4

남킹 컬렉션 #017

스네이크 아일랜드

1권

죽고싶지만 복수는 하고 싶어

남킹 판타지 스릴러

남킹 컬렉션 #018

천일의 여황제

세빈의 남자

남킹 판타지 소설

남킹 컬렉션 #019

이방인

남킹 장편소설

거리를
비워두세요

남킹 음악에세이

남킹 컬렉션 #020

사랑 그 쓸쓸함
에 대하여

남킹 음악산문

남킹 컬렉션 #021

남킹의 문장 1
브런치 스토리

남 킹

남킹 컬렉션 #022

알리칸테는
언제나 맑음

남 킹 에 세 이

남킹 컬렉션 #023

길에 내리는
빗물

남 킹 소 설 집

남킹 컬렉션 #024

서글픈 나의 사랑

남 킹 장 편 소 설

남킹 컬렉션 #025

남킹 SF 소설집

브런치 스토리

남킹 컬렉션 #026

버스 민페녀

남킹 슬픈 이야기

남킹 컬렉션 #027   소설집

브런치 스토리

남킹 사랑 소설집

남킹 컬렉션 #028

남킹 스토리

브런치 스토리

남킹 컬렉션 #029

남킹의 음악과 글

브런치 스토리

남킹 컬렉션 #031

눈물이 당신의
볼을 타고
브런치 스토리

남킹 컬렉션 #033

시시포스

브런치 스토리

남킹 소설집

남킹 컬렉션 #034

남킹 장편소설 미리보기

그리고 리홀라디의 묘한 죽음

거짓과 상상 혹은 죄와 벌

신의 땅 심해 물의 꽃

천일의 여황제

이방인

스네이크 아일랜드

파벨 예언서

남킹 컬렉션 #035

죽이고 싶지만
섹스는 하고 싶어

남킹 범죄 소설집

남킹 컬렉션 #036